단 한 번의 인생, 단 한 번의 죽음

힘 있게 살고
후회 없이 떠난다

단 한 번의 인생, 단 한 번의 죽음

힘 있게 살고 후회 없이 떠난다

고바야시 구니오 지음
강수연 옮김

나라로그

프롤로그

죽음을 직시하면
남은 삶이 투명하게 보인다

어느 날 갑자기 병이 발견되어 여생이 얼마 남지 않았다는 선고를 받았다. 다니던 당뇨 클리닉에서 엑스레이 검사를 했는데 "폐가 새까맣다"고 해서 대학병원을 소개받아 갔다. '간질성 폐렴' 진단이 나왔다. 폐 속 허파꽈리 벽이 점점 망가져 호흡하기 힘들어지는 병. 나을 가능성이 없는 진행성 난치병. 빠르면 2년 반 만에 죽을 수도 있다고 했다.

극도로 혼란스러운 와중에 펜을 부여잡고 마음의 동요를 있는 그대로 쓰기 시작했다. 의사가 처음 했던 말과 그 말을 듣고 내가 받은 충격까지 생각나는 대로 써내려갔다. 뭔가를 기록하는 건 평소에도 익숙한 일. 손을 움직이고 있으면 현실을 잠시 잊을 수 있다……. 무엇보다 그렇게 하지 않으면 정신적 균형이 무너져버릴 것만 같았다.

그 후에도 절규하고 싶은 마음을 억누르듯 불안과 갈등의 나날을 필사적으로 계속 적었다. 스스로에게 끊임없이 이렇게 물으면서.

'죽음에 대한 공포를 어떻게 극복할 것인가.'

최근 죽음을 준비하는 활동이 붐이다. 자기 장례식과 묘지를 준비하고, 신변을 정리하고, 상속세 대책을 세우는 등 살아 있는 동안 죽음 이후의 여러 가지를 고려하며 준비해두는 일이다. 이건 매우 중요하다. 하지만 죽음을 선고받은 내게는 그런 실리적인 것보다 '죽음에 대한 각오를 다지는 일'이 선결 과제였다. 이걸 해결하지 않고는 다른 일을 손댈 수 없었다.

'누구에게나 반드시 찾아오는 죽음. 그것에 대한 마음의 준비는 어떻게 해야 하는가.'

죽음과 마주하는 방법을 알고 싶어도 이미 죽은 사람은 아무도 돌아오지 않는다. 당연히 어떤 얘기도 들을 수 없다. 유언 쓰는 방법이나 묘비 구입 요령 등을 다룬 임종 준비 서적은 많지만, '죽음의 공포를 해소하는 요령'을 담은 책은 보이지 않는다. 수요가 없는 걸까.

하긴, 죽음에 대해 적극적으로 말하는 걸 금기시하니 되도록 언급하지 않으려는 경향은 있다. 자연히 죽음을 준비하는 방법에 관한 교육도 많이 배제됐다.

무엇 하나 붙잡을 것 없이 암흑 속에 내팽개쳐진 채 머릿속이 뒤엉켜 있었다. 처음 얼마간은 너무 괴롭고 고통스러워 허둥댔다. 밀어닥치는 불안과 공포 앞에서 어쩔 줄을 몰랐다. 그러다 머릿속에서 소용돌이에 휩쓸려 이리저리 표류하는 이물질을 일단 꺼냈다. 펼쳐서 해석한 다음 스스로에게 물었다.

'나는 무엇이 괴로운가. 어떻게 하고 싶은가.'

혼자 힘으로 답을 찾기 위해 닥치는 대로 버둥거리며 죽음이란 무엇인지 찾았다. 번민하고, 친구와 이야기하고, 전문가를 찾아가고, 갈기갈기 찢어질 듯한 심경을 기록했다. 자문자답이 이어진 혼돈의 시간이었다. 그렇게 어언 열흘쯤 지났을 무렵, 죽음에 관해 대략 알게 됐다. 죽음에 대한 각오도 생겼다.

시곗바늘이 미래가 아닌 삶의 종착점을 향해 시간을 새기기 시작하면서 확실히 깨달았다. '막연히' 흘러가던 매일매일의 시간이 갑자기 '응축된' 시간으로 바뀌었다는 사실을. 한정된 시간을 어떻게 하면 의미 있게 보낼 수 있을지 신중하게 생각하고, 내 인생을 어떤 식으로 만족스럽게 마무리할 것인가에만 신경을 집중했다. 꼭 해두고 싶은 일, 어떤 일이 있어도 이루고 싶은 꿈, 반드시 갖고 싶은 것, 마지막으로 가고 싶은 장소……. 이런 것들도 꼽아봤다.

'시간이 없다. 실패하면 안 된다.'

긴장감 속에서 우선순위가 오히려 또렷이 보였다.

죽는 법을 생각하는 것은 사는 법을 생각하는 것이기도 하다. 죽음을 직시하면 살아갈 시간이 이토록 투명하고 충실하게 보인다.

죽음은 누구에게나 찾아온다. 어찌할 수 없는 일이다. 그런데 인간은 '어떻게 살아갈지'는 생각하면서도 '죽음'과 '죽음에 이르는 길'은 외면해왔다. 대부분 준비가 부족한 상태로 '죽음으로 향하는 시간'에 들어선다.

'아직 죽음이 멀찍이 떨어져 있을 때 죽음에 대해 생각하고 각오할 수 있다면, 살아 있는 시간이 좀 더 힘 있고 충실해지지 않을까? 인생을 후회 없이 마무리할 수 있지 않을까?'

내 경험에 비춰보니 이런 생각이 들었다.

나는 이제 한발 앞서 떠나지만, 뒤에 올 사람들을 위해 죽음을 선고받고 써내려간 내 마음속 대화와 갈등과 본심을 빠짐없이 모아 남긴다. 이른바 '죽기 전에 정리하는 마음의 참고서'라 하겠다.

말하기 꺼려진다는 이유로, 모처럼 경험해서 알게 된 사실에 대해 입을 다문 채 땅에 묻혀버리는 건 실로 아까운 일이다. 하여 죽음을 앞둔 당사자가 죽음을 어떻게 맞이하면 좋을지 몰라 방황하는 사람들을 위해 자신의 상태와 행동을 자세히 기록해두면 필시 도움되리라 생각했다. 죽음의 각오를 다진 과정과 죽는다는 것(살아간다는 것)에 대해 생각한 부분도 엮었다.

떠날 시간이 다가온다. 만족할 만한 결승점에 도달하려면 한시도 허투루 보낼 수 없다. 모든 지혜와 방법, 효율성과 확실성을 최대한 끌어올리는 '기술'이 필요하다. 부디 내가 남긴 이 기록에서 그 힌트를 많이 얻길 바란다. 결코 무겁거나 침울해하지 말고, 밝고 긍정적으로.

'죽음을 직시하는 힘'을 지니면 비로소 단 한 번의 '인생을 살아가는 힘'도 빛난다. 이 책이 인생을 후회 없이 완결하는 데 조금이나마 도움된다면 더할 나위 없이 기쁘겠다.

차례

제2장

죽음을 각오하면 비로소 보이는 것들

제3장

죽음은 두려운 것이 아니다

제4장

이 세상을 떠나기 위한 마지막 준비

죽음은
인간이 받을 수 있는 축복 중
최고의 축복이다.

소크라테스

제1장

삶의 끝과 마주한 질풍노도의 열하루

태어남도 죽음도 거스를 수 없다

'죽음의 공포'를 어떻게든 빨리
'죽음의 각오'로 바꿔야 한다.
그러기 위해 발버둥치며 괴로워한 나날…….
처음 맞은 시련이었다.

'예후豫後, prognosis'라는 의학 용어가 있다. 질병으로 인해 예정된 앞으로의 전망. "예후가 없다." 혹은 "예후가 나쁘다."라는 말은 나을 가망이 없다는 뜻이다. 즉, 죽음의 선고.

내가 그런 병에 걸렸다는 사실을 알고 나니, 마음을 주체할 길이 없었다. 두려움에 몸이 부들부들 떨렸다. 감정을 정리하는 데 어느 정도 시간이 필요하다는 걸 알고는 있었지만, 도저히 그럴 형편이 아니었다. 마음이 갑자기 허우적대기 시작했다. 빨리 물가로 헤엄치지 않으면 익사할 것 같은 공포의 망망대해에 떠 있었다. 생전 처음 경험하는 혼란과 소리 지르고 싶은 절망이 엄습해왔다. 태어나서 처음 느끼는, 말로 표현할 수 없는 불안과 공포가 점점 커져만 갔다.

이것이 공황장애인가!

그렇지만 대자연의 법칙 안에서 생과 사는 반복된다. 당연한 이치다. 같은 생물이라도 수명은 저마다 다르다. 살아갈 시간이 얼마나 길지는 운으로밖에 설명할 수 없다.

'태어나는 것도, 사는 것도, 병에 걸리는 것도, 죽는 것도 모두 내가 거역할 수 없는 대우주의 섭리이며 어쩔 수 없는 일.'

이렇게 생각하려고 노력했다.

그러고 보면 인간이란 흥미로운 존재다. 극한 상황이나 예상치 못한 상황이 닥치면 어떻게든 당황하지 않고 냉정해지려 몸부림친다. 열심히 생각을 짜낸다. 내 경우는 어떻게든 이 죽음에 정당성을 부여하려 했다. 죽음을 선고받고도 스스로를 우위에 세우려는 마음을 깨닫고는 어처구니가 없었지만.

사람은 각기 다른 방식으로 죽음을 맞이한다.

- 건강하게 장수하고 임종하는 사람.
- 사고나 재해, 심장이나 뇌 질환 등으로 급작스럽게 죽는 사람.
- 노환으로 몸져누운 채 언제 찾아올지 모를 죽음을 마냥 기다리는 사람.
- 어느 날 갑자기 병이 발견되어 삶이 얼마 남지 않았다고 선고받는 사람.

어느 누구도 자신이 죽는 방식을 선택할 수 없다.

나는 예전부터 '암으로 죽는 편이 낫겠다'고 생각했다. 생이 얼마나 남았는지 미리 알 수 있고, 죽음을 제대로 준비할 수 있으며, 호스피스의 도움을 받을 수도 있기 때문이다. 게다가 요즘은 암이라도 그리 힘들지 않게 고통 없이 떠날 수 있는 듯하다.

이런 생각을 해서였을까. 암과 비슷한 병에 걸려버렸다.

'죽는 방법으로는 그리 나쁘지 않을지도 몰라.'

억지로 마음을 진정시키려 했다. 그러나 예후가 아예 없다고 한다. 암이라면 당사자는 살기 위해, 가족과 의사는 살리기 위해 힘을 내고 수술도 하겠지만 나는 아예 '투병'이라는 살기 위한 싸움에 나설 수조차 없다.

'그렇다면 어차피 꽃은 반드시 시든다고 생각하는 게 낫지 않을까?'

이런 마음으로 내 안의 공포감을 필사적으로 지우려 했다.

"'필사적으로'라는 말은 쓰면 안 돼. '반드시 죽는다'는 뜻이니까."

젊은 시절 친구들끼리 이런 농담을 한 적이 있는데, 지금이 그야말로 '필사必死'의 순간이다. 이 '죽음의 공포'를 어떻게든 빨리 '죽음의 각오'로 바꿔야 한다. 그러기 위해 발버둥치며 괴로워한 나날이 짧은 여생을 선고받은 후 처음 맞은 시련이었다. 내가 기댈 것은 어떤 번민이든 곤란이든 시간이 해결해 줄 거라는 믿음뿐이었다.

1일째

찢어질 듯한 마음을 말로 표현하다

술로 밤을 지새워도
마음의 동요는 잦아들지 않았다. 오히려 더 심해졌다.
그렇지만, 그렇다고 해서,
영원히 이렇게 혼란스러워할 수는 없다.

마음을 강하게 먹으려 해도 '죽는다'는 생각만 하면 아무것도 하기 싫었다. 자포자기 심정을 떨쳐낼 수 없었다. '무슨 일이든 포기하지 않는다'는 신조로 살아왔지만 그건 '내일', '미래', '희망'이 있어야 가능한 일. 내게는 앞으로의 모든 것이 한순간에 사라져버렸다.

살아 있어야 뭐라도 할 수 있다. 살아 있으면 인간은 '죽을 힘'을 다해보자고 생각한다. 그래서 이렇게 마음을 다스렸다.

'일단 침착하자. 이 사태를 받아들이려면 냉정하게 생각해야……'

생각 끝에 허물없는 친구를 만나 내가 처한 상황을 말로 표현해보기로 했다. 마음이 복잡할수록 생각을 정리해 차분하게 말하면서 내 귀로 다시 들으면 객관적 사실로 정리할 수 있다.

"실은 호흡 곤란으로 괴로워지기 전에 안락사하고 싶은데, 스스로 목숨을 끊는 거니까 좀 그렇겠지?"

친구에게 털어놨더니, 이런 대답이 돌아왔다.

"나을 수 없다는 걸 다들 알고 있으니 어쩔 수 없다고 생각하지 않을까?"

마음속 불안을 속속들이 말로 내보인 그 시간, 절절한 공포를 언어로 솔직하게 내뱉은 그 시간이 꽤 위로가 됐다. 친구와 잔을 주고받으며 술을 마실 수 있다는 것도 참 좋았다. 그러고 보니 일본의 3대 선승이자 시인인 료칸은 이렇게 노래했다지.

내일부터는 어찌 될지 몰라도, 오늘 하루는 취한 듯하구나.

사실 "나 죽는대!"라고 여기저기 외치고 싶은 충동도 일었다. 하지만 내게는 작긴 해도 경영하는 회사가 있다. 직원들도 동요할 테고, 은행이 융자금을 회수할지도 모른다. 가족이나 회사 최측근에게는 솔직히 털어놓더라도 그 외에는 내 일과 멀찌감치 떨어진 사람에게 말해야 한다. 그래서 업무와 관련 없는 친구에게 이야기한 것이다. 침착하게 이 현실을 전하려 하면, 마음의 동요도 서서히 멈출 것이다.

살다 보면 구사일생九死一生일 때가 있고, 죽음보다 더한 괴로움을 경험할 때도 있다.

'누구나 한 번쯤은 죽을 생각을 한다니 진정하자.'

스스로를 이렇게 타일렀다.

'뭔가 살아날 수 있는 실마리라도 찾을지 몰라.'

근거도 없는 이런 말을 수없이 되뇌면서.

그러는 동안 거듭된 생각과 번민에 지칠 대로 지쳐 '그냥 술독에나 빠져버리자!'라며 술잔을 기울이는 데만 몰두하다가 만취해 곯아떨어졌다. 결국 술로 밤을 지새워도 마음의 동요는 잦아들지 않았다. 오히려 더 심해졌다.

'아무것도 하고 싶지 않다. 그 어떤 노력도 하기 싫다.'

그렇지만, 그렇다고 해서, 영원히 이렇게 혼란스러워할 수는 없다.

'어떻게 죽음을 각오하고, 어떻게 죽음과 마주하고, 어떻게 떠나야 하나?'

그 답은 용기를 쥐어짜서 스스로 찾아내는 수밖에 없는 것이다.

2일째

지금껏 해둔 일들을 생각하다

'나'라는 인간이 살아온 증거를
나름대로 남겼다는 안도감.
누구나 '살아온 증거', '마지막 추억'이 있어야
만족하고 떠날 수 있지 않을까.

내 직업은 외식경영자. 할아버지가 소유하셨던 국가등록유형문화재 건물에서 '니키야二木屋'라는 가이세키요리会席料理, 일본의 연회용 코스 요리 전문점을 운영한다. 세월을 덧입은 이 유서 깊은 가옥에서 계절과 절기에 따라 장식을 달리하며 와쇼쿠和食, 일본 전통 식문화로 2013년 12월 유네스코 무형문화유산에 등재됨 기반의 복합 문화를 선보이기도 한다. '일본의 전통 식문화와 세계유산'이라는 가치를 알리기 위해서다.

또 나는 지금까지 일본 고유의 장식 문화를 주제로 책 세 권을 쓴 저술가다. 그 분야 전문가이기도 하다. 다른 저서까지 포함하면 총 다섯 권을 출간했다. 죽음을 눈앞에 두고 나니, 졸저이긴 해도 써둬서 다행이다 싶다. '나'라는 인간이 살아온 증거를 나름대로 남겼다는 안도감.

죽음과 마주하게 되면 이렇게 인생을 회고하며 재평가하는 마음이 필요하다는 사실을 죽음을 앞둔 당사자가 되고서야 깨달았다. 큰 업적을 남기지 못하고 떠난다는 건 참으로 유감스럽지만, 평균수명보다 20년이나 일찍 이 세상을 떠나게 됐으니 어쩔 수 없다.

그러고 보면 인간은 누구나 '살아온 증거', '마지막 추억'이 있어야 만족하고 떠날 수 있지 않을까. 인생에서 남긴 것이 '자식을 키운 일'이나 '가족 여행의 추억'이어도 충분하다.

구로사와 아키라 감독의 영화 〈살다〉에서 암 걸린 시청 과장이 마지막으로 공원을 만든 것처럼, 사람은 최후의 순간에 다다르면 자신이 수긍할 수 있는 성과물을 반드시 원하게 된다. 종류나 크기는 상관없다. 스스로 인정할 수 있느냐 없느냐가 중요하다.

'죽음'과 '의지'를 특별히 염두에 둔 사카모토 료마에도시대 무사로서 도쿠가와 막부를 종식시키고 일본의 근대 국가 탄생에 기여한 국민적 영웅도 이와 관련해 유명한 말을 남겼다.

"세상에 태어난 이유는 뜻을 이루는 데 있다."

나는 이 세상에 태어나 무엇을 했는가, 무엇을 이뤘는가를 생각한다. 인생을 돌아봤을 때 해둬서 다행인 일이 있는가. 그런 마음을 가질 수 있는가.

인생에 마침표를 찍기 전에 이런 것들을 의식하면서 무언가를 하고, 무언가를 완성하는 일. 건강하게 살아 있는 동안 우리 모두가 마음속에 새겨야 할 부분임을 새삼 깨달았다.

3일째

죽음에 대해 공부하다

죽음이 두려운 이유는
죽음을 모르기 때문이다. 막연하던 그것이
희미하게나마 모습을 드러내기 시작하자
불안과 공포가 조금씩 잦아드는 것 같았다.

'죽음은 무섭다'는 추상적인 생각으로 모두 죽음의 문제를 기피한다. 물론 죽기 전까지는 죽음을 체험할 수 없다. 경험한 사람은 남김없이 저세상에 가버렸으니 알려줄 사람도 아무도 없다. 그래서 죽음은 줄곧 '불안'과 '공포'라는 미지의 영역에 머물러 있다.

죽음을 금기시하는 사회에서는 죽음 준비 교육도 철저히 방치하게 마련이다. 누구나 맞이하게 될 죽음에 대해 일찍부터 생각할 기회를 갖고 알아두면 받아들이기가 훨씬 쉬울 텐데, 그런 준비 교육이 전무하다. 이럴 경우 저마다 하나하나 손으로 더듬어가며 죽음을 극복해야 한다.

"의무교육에서 '죽음'을 설명하지 않는 건 어른과 교육자의 태만이다."

소설가 소노 아야코의 주장이다. 나 역시 100% 동감한다. 죽음을 선고받고 눈앞에 구체적인 죽음이 들이닥치는데도 정작 내게는 죽음 관련 지식이 전혀 없다는 사실을 절감했다.

우선은 죽음에 대한 지식을 확보하는 것이 선결 과제라 생각해 닥치는 대로 정보를 찾아봤다. 그러다 1968년 발표된, 지금도 '임종 케어의 바이블'로 꼽히는 책을 발견했다. 평생 동안 인간의 죽음을 연구해 미국 시사 주간지 〈타임〉이 '20세기 100대 사상가' 중 한 명으로 선정한 정신과 의사 엘리자베스 퀴블러 로스가 쓴 《죽음의 순간》이다. 이 책에서 그녀는 죽음을 받아들이는 과정을 크게 다섯 단계로 정리했다.

제1단계 '부인'

큰 충격으로 '거짓이다. 내가 죽을 리 없다.'라며 부인하는 단계. 오진이거나 진료 기록이 잘못됐다고 생각한다. '설령 죽을병이라 해도 특효약이 발명되어 나을 수 있지 않을까?'라는 부분적 부인 형태도 나타난다.

제2단계 '분노'

"내가 왜 이런 일을 당해야 해? 내가 왜 죽어야 해?"라며 주위 사람들에게 분노를 내뱉는 단계.

제3단계 '거래'

'나쁜 점은 다 고칠 테니 어떻게든 살고 싶다.' '조금만 더 살 수 있다면 뭐든 하겠다.' '돈이 얼마가 들어도 좋으니 살려달라.' 등등 연명을 위한 거래를 시도하는 단계. 절대적 존재인 신에게 의지하려는 것도 거래의 일종.

제4단계 '우울'

거래가 소용없음을 인식하고, 운명에 무력감을 느껴 실망하며, 우울감에 사로잡혀 아무것도 할 수 없는 단계. 세상사에 절망하면서 '부분적 비탄' 과정으로 옮겨간다.

제5단계 '수용'

죽는다는 사실을 최종적으로 받아들이는 단계. 동시에 일말의 희망을 버리지 못하는 경우도 있다. 수용 단계 후반에는 모든 것을 깨닫는 해탈의 경지가 나타난다. 희망과도 단호하게 이별을 고하고, 편안하게 죽음을 받아들인다.

일본에서 활동하며 '생사학의 대부'라 불리는 독일인 가톨릭 신부 알폰스 데켄은《죽음을 어떻게 맞이할 것인가》라는 책에서 이 다섯 단계에 한 단계를 추가했다.

제6단계 '기대와 희망'

사후 세계를 믿는 사람이 수용 단계를 거쳐 영원한 미래를 적극적으로 애타게 기다리는 단계. 이 세상은 한시적으로 머무는 곳이지만, 저세상은 먼저 간 사람과 재회해 영원히 함께할 수 있는 곳이라는 기대와 희망을 갖는다. 거기서 기다리면 사랑하는 사람도 결국 올 거라는 사고방식.

죽음이 두려운 이유는 죽음을 모르기 때문이다. 죽음을 앞두고 마음을 다잡을 수 있을지 없을지는 죽음에 대해 얼마나 아느냐에 달렸다. 하지만 이 세상 누구도 죽음을 경험한 적 없기에 그 과정 역시 알지 못한다.

'죽음으로 가는 여정'에 갑작스럽게 오른 나는 그 길의 '이정표' 정도는 손에 넣고 싶었다. 다행히 생각보다 일찍 '죽음을 받아들이는 기본 과정'을 찾아냈다. 행운이었다. 막연하던 죽음이 희미하게나마 모습을 드러내기 시작하자 불안과 공포가 조금씩 잦아드는 것 같았다.

4일째

참지 않고 버둥거리며 울부짖기로 하다

나 역시 어딘가에서
슬픔과 고통을 끄집어내야 하지 않을까.
솔직하게 울어도 좋을 것이다.
헛된 저항을 해도 괜찮을 것이다.

어느 날 갑자기 '죽음의 선고'라는, 이제껏 경험하지 못한 세찬 게릴라 호우를 만났다. 마음속에서 배수 처리가 되지 않아 밖으로 넘쳐흐를 것만 같았다. 이 엄청난 탁류의 기세 때문에 마음속 무거운 철제 맨홀 뚜껑이 당장이라도 날아가버릴 듯한데 억지로 닫아두려는 건 아닌가 하는 생각이 문득 들었다.

그래서 스스로에게 되물었다.

- '나 자신을 속이고 있지 않나?'
- '뭔가 무리하고 있지 않나?'
- '서둘러 죽음을 각오하려는 건 아닌가?'
- '이렇게 억지로 서둘러도 괜찮은가?'

친척 장례식에서 이런 일이 있었다. 누나의 시숙이 돌아가셨을 때 그 집 장남 이야기다.

고인은 직원이 500명쯤 되는 회사 사장인데, 55세에 암으로 세상을 떠났다. 그때 고인의 장남은 마음을 굳게 먹고 자신이 정신을 똑바로 차려야 한다 생각해 슬픔을 꾹꾹 눌렀다. 그러다 발인 전날, 길게 늘어선 조문객을 맞이할 때 더 이상 참지 못하고 몸을 주체 못 할 정도로 쓰러져 울었다. 그야말로 통곡했다. 조문객이 이렇게나 많이 찾아와 아버지의 너무 이른 죽음을 진심으로 슬퍼하는 모습을 보자, 놀라움과 슬픔이 단번에 감정의 둑을 무너뜨려 넘쳐흐른 것이다.

"정말이지, 너무 참지만 말고 적당히 울어뒀으면 좋았을걸.

계속 참기만 하다가 가장 중요할 때 쓰러져 울고. 칠칠치 못해, 우리 애."

이렇게 말하는 그의 어머니를 보고 '어머니는 강하다. 아내는 강하다.'라는 생각을 새삼 했다. 그녀도 그로부터 9년 뒤 암으로 세상을 떠났지만.

나 역시 죽음을 제대로 받아들이고 버둥거리며 울부짖어야 하지 않을까. 어딘가에서 슬픔과 고통을 끄집어내야 하지 않을까. 솔직하게 울어도 좋을 것이다. 헛된 저항을 해도 괜찮을 것이다.

스스로를 속이며 맨홀 뚜껑으로 마음속 탁류를 억누르기에는 이제 한계에 이르렀다. 하여 이제, 설령 꼴사납더라도, 내 감정을 속속들이 내보이기로 했다.

5일째

죽음이라는 숙명을 받아들이기로 마음먹다

죽음을 수긍하지 못한 채
몸이 약해져서 더 힘들어지기 전에
사방팔방 손을 뻗어 마음에 결론을 내고
감정적 혼란을 진정시켜둬야 한다.

"인생이란 '숙명'과 '우연'과 '선택'으로 이루어져 있다."

시각 장애가 있는 인도계 여성이자 미국 컬럼비아대학교 비즈니스스쿨 교수인 쉬나 아이엔가의 말이다. 그녀는 오랫동안 '선택'이라는 주제를 연구했는데, 다양한 상황에서 독특한 실험과 조사를 실시하고, 이를 토대로 날카로운 통찰을 선보이는 것으로 유명하다. 나는 아이엔가의 논리가 좋다.

"숙명은 바뀔 수 없는 것. 하지만 그 숙명 속에서 다양한 우연을 만나고, 그 우연 가운데 무언가를 선택해 자기 인생을 개척한다. 그러므로 '선택'이라는 열쇠를 얼마나 능숙하게 사용하는가가 중요하다."

이렇게 설파하는 아이엔가의 강의는 NHK에서 다섯 차례에 걸쳐 시리즈로 방영됐고, 저서 《선택의 심리학》은 세계 각국에 번역 출판됐다.

그녀의 논리대로라면 내가 간질성 폐렴에 걸린 건 바뀔 수 없는 현실, 즉 '숙명'이고 그 후 만나는 여러 '우연' 중에서 '선택'하며 남은 인생을 개척해야 한다. 어떤 선택과 노력을 해야 기사회생起死回生할 수 있는가.

죽음의 선고를 받은 날로부터 닷새째, 나는 마음먹었다.

'자진해서 다양한 거래를 해보자. 지푸라기라도 잡아보자. 울부짖으며 발버둥 쳐보자.'

맨홀 뚜껑을 탁류의 기세에 맡겨 날려버리기로 한 것이다. 그리고 네 가지 결심을 했다.

첫째, 전문가에게 매달린다. 마음을 보살펴주는 라이프코치를 만나 이야기해보는 것이다. 둘째, 신에게 의지한다. 좋은 기운을 주는 장소에 가서 신 앞에 기도하고 싶다. 셋째, 점을 본다. 여기에 대해서는 부정적 인식도 있지만, 개의치 않기로 했다. 항상 정곡을 찌르는 시사점을 알려주는 점술가와 약속을 잡았다. 넷째, 다른 병원에 가본다. 거기서 다른 의사의 2차 소견을 들어볼 생각이다.

이렇게 통속적으로, 인간적으로, 그다지 이성적이라고는 할 수 없는 '발버둥'을 쳐보기로 한 것이다.

죽음이 가까워지면 몸이 힘들 텐데, 그때도 죽음을 수긍하지 못해 마음이 괴로우면 곤란하다. 몸이 약해져서 더 힘들어지기 전에 사방팔방 손을 뻗어 마음에 결론을 내고 감정적 혼란을 진정시켜둬야 한다. 그러기로 결단했다.

6일째

신에게 매달리고 신 앞에서 빌다

죽음을 선고받아도,
예후가 없다는 말을 들어도,
사람은 일말의 희망을 버리지 못한다.
그러니 괴로운 것이다.

밤에는 발걸음이 저절로 술집을 향했다. 그곳에서 일하는 여성과 이야기를 나눴는데, 알고 보니 이바라키현 가시마시 출신이었다.

"가시마는 '가시마 신궁'과 축구팀 '가시마 앤틀러스' 외에는 아무것도 없어요."

"가시마 신궁은 꽤 컸던 것 같은데, 같은 현에 있는 가사마 이나리 신사와 비교하면 어디가 더 크죠?"

"가사마는 신사, 가시마는 신궁. 격이 전혀 다르죠."

다음 날 아침 인터넷으로 찾아보니 가시마 신궁은 전국 약 600개 가시마 신사의 총본사로, 창건된 지 2,670여 년. 일본 역사와 더불어 현재에 이른 유서 깊은 곳이었다. 덧붙은 글에는 '뜻을 정한 자가 가야만 하는 곳'이며, '고난에 맞서야 할 때 가야 한다'고 적혀 있었다.

술집 대화에서 가시마 신궁으로 가는 길이 열린 셈이다. 나는 '불안'이라는 마음속 뚜껑을 당장 날려버리기로 결심했다.

'신에게 의지해 내 안의 공포심에 역공을 취하자!'

곧장 사이타마시에 있는 집에서 차로 달려갔다. 약 두 시간 후 도착. 가시마 신궁은 신석기시대부터 존재한 것 같은 원시림에 둘러싸여 영적 분위기를 자아냈다. 유서 있는 신사답게 고요하고도 우직한 모습으로 서 있었다. 태고부터의 깊은 인연과 신성이 깃든 수행 장소라 그런지 존재만으로도 지친 마음을 보듬어줬다. 죽기 전에 가보고 싶었던 가시마 신궁은 죽음을 각오하기 위해 찾아온 곳이 됐다.

신에게 매달리고 신 앞에 빌면서 마음이 훨씬 차분해졌다. 와보길 정말 잘했다…….

면담을 의뢰해둔 여성 라이프코치에게 "가시마 신궁에 다녀와서 기분이 상쾌해졌어요."라고 이메일을 보냈더니, 이런 답신이 왔다.

"신사나 사찰은 풍수지리상 기운이 좋은 곳을 골라 세운다고 해요. 상쾌함을 느낀 건 어느 정도 일리가 있는 셈이죠. 참고로 교토고쇼 헤이안 시대부터 도쿄로 천도한 1869년까지 500여 년간 일왕이 거주한 궁 나 고쿄 메이지 시대부터 현재까지 일왕이 거주하는 궁 는 그런 의미에서 능력 있는 풍수지리사가 선택한 곳이니 일본에서 가장 기운 좋은 곳이라고들 하죠."

역시 라이프코치는 방황하는 사람을 적확한 언어로 다잡아준다.

참배할 때 보니 세전함 옆에 길흉을 점쳐보는 상자가 있었다. 그 상자에서 망설임 없이 눈길 가는 대로 제비 하나를 휙 뽑았다. 열어보니 '흉'이었다.

'흉도 들어 있군.'

이런 경우는 태어나서 처음이었다. 거기에는 이렇게 적혀 있었다.

석양이 지는 듯하다. 당분간 만사를 쉬어야 할 때다. 그러면 다시 아침 해가 빛나는 것을 본다.

만사를 쉰다……. 그렇다면 그 후에 다시 빛나는 아침 해는 이 세상 것인가, 저세상 것인가. 아니면 내세來世 것인가. 아무튼 가장 중요한 시점에 거짓 없이 '흉'이 나오니 기분이 왠지 정말 상쾌했다.

죽음을 선고받아도, 예후가 없다는 말을 들어도, 사람은 '어쩌면……'이라는 일말의 희망을 버리지 못한다. 그러니 괴로운 것이다.

인생의 의의를 발견할 가망이 없다면 신에게 의지해도 된다. 할 수 있는 건 무엇이든 해보는 거다. 나는 신 앞에서 희망에 대한 욕심을 남김없이 씻어낸 듯하다. 그래선지 마음이 정화된 것 같았다.

'흉'이라고 나온 제비 뒷면에는 이렇게 적혀 있었다.

천둥소리 격렬한 비 오는 밤엔 마음 머무는 모든 것이 운명일까.

나는 마음속으로 이렇게 답했다.

'운명이라는 천둥의 장난에 마음이 갈기갈기 찢어지는 나는, 과연 살 수 있을까.'라고.

7일째

마음의 고향에서 죽음의 각오를 다지다

내 생애를 아름답게 완결하는 시나리오를 쓰고픈 지금,
어릴 적 기억을 불러내며 이런 생각을 했다.
'생의 출발점과 결승점을 이으면
인생이 뭔가 극적으로 완성되지 않을까?'

가시마 신궁 참배 후 1박을 하고 가토리 신궁과 나리타산신쇼지 사찰에도 다녀왔다. 차를 몰고 사이타마에 있는 집으로 향하는데, 불현듯 99리 백사장이 있는 지바현의 시라코마치에 들렀다 가고 싶다는 생각이 들었다.

'그래, 시라코에 가자! 분명 정신 건강에도 좋을 거야!'

시라코는 내가 어렸을 때 여름을 보낸 지역이다. 할아버지 별장이 있어서 아버지 형제 아홉 명과 우리 사촌 스물다섯 명이 몇 가구씩 교대로 피서를 했던 그리운 장소. 말하자면 내 고향이라 할 수 있는 특별한 곳이다.

별장에는 유리창 없는 덧문뿐. 에어컨이 없어 그 문을 활짝 열어놓으면 바닷바람이 불어왔다. 그래서 다다미는 모래투성이. 비단게가 그 위를 걷곤 했다.

파리가 많이 꼬이는 여름, 할아버지는 파리 한 마리를 1엔에 사주셨다. 서른 마리를 잡으면 빙수를 먹을 수 있었다. 아이 셋을 위해 파리 아흔 마리를 잡아주시던 숙모의 능란한 손놀림이 기억난다.

달이 얼굴을 감춘 구름 낀 밤에는 아무것도 보이지 않았다. 칠흑 같은 어둠을 그때 처음 알았다. 청명한 밤이면 마치 살아있는 천문관이라 할 정도로 은하수가 아름다웠다.

끝도 없이 이야기할 수 있을 정도로 소중한 추억이 가득한 내 고향. 내 생애를 아름답게 완결하는 시나리오를 쓰고픈 지금, 어릴 적 기억을 불러내며 이런 생각을 했다.

'생의 출발점과 결승점을 이으면 인생이 뭔가 극적으로 완

성되지 않을까?'

50년이 넘는 세월에 풍경이 대부분 바뀌어도 흔적은 희미하게 남아 있으니 말이다.

실은 시라코 해안으로 내려가 파도를 맞으며 장난치고 조개도 주워 돌아가고 싶었지만, 그런 정서적 행동을 하지 않아도 죽음을 전략적으로 각오하겠다는 적극적 의지가 생겼다.

'죽는다는 사실을 드러내지 않고, 현세에 약속한 일을 다 하며, 되도록 좋은 사람이었다 기억되도록 덕을 쌓고 싶다. 할 수 있는 일은 끝까지 하고, 시간이 부족하면 수정하고, 포기할 것은 버리고, 회사가 잘 유지되도록 준비하고서 죽음의 잠자리에 들어야 한다.'

마음의 고향에서 어릴 적 추억을 마주하니 어떤 마음으로 죽음을 맞이해야 할지 어렴풋하게나마 윤곽이 보였다.

8일째

점술가에게 운명을 묻다

"병에 대해 듣기 전과 후의 인생은
확실히 달라요. 죽을 시기를 알고 나면
남은 시간들이 촘촘해져요."

'이런 난치병에 걸린 건 내 운명인가?'

그 답을 알고 싶어서 신뢰하는 친한 여성 점술가를 찾아갔다. 고객과 관계를 오래 유지하는 점술가에게는 다음 세 가지 특징이 있다.

- 극히 자연스러우며, 과장된 연출을 하지 않는다.
- 고액을 요구하지 않는다(쓸데없는 것을 강요하지 않는다).
- 수긍할 수 있다(긍정할 수 있다 = 맞는 말이다).

점술은 비과학적이라는 주장도 일리가 있지만, 미래의 일은 아무도 모른다. 믿느냐 안 믿느냐 역시 내 마음에 달렸다. '인생에 대한 충고'라는 하나의 콘텐츠로서 점술의 안내를 받는 것도 괜찮다고 생각한다. 결과 중에서 살아가는 힌트를 조금이라도 얻을 수 있으면 좋겠다고 기대하는 것이다.

그 점술가는 서양의 홀로스코프holoscope, 개인의 천체 배치도와 동양의 기학氣學 등으로 점을 친다. 내 천체 배치도를 이미 갖고 있었고, 이번 방문의 이유도 미리 알았기 때문에 운세를 뽑아 놓고 있었다. 그래서 질문에 지체 없이 대답해줬다.

"저는 언제쯤 죽게 될까요?"

"운세가 나쁜 때는 2017년. 그 시기를 잘 넘기면 2020년. 가장 좋은 때는 2021년이네요. 죽음은 좋은 상태로 맞이하겠어요. 그때까지 산다면 60대 후반이니까 단명短命이라 할 수는 없겠죠. 자신이 어떤 기운을 지니느냐에 따라 살 수 있는 기간도 달라져요."

"그때까지는 어떻게 살게 될까요?"

"여러 고난을 아슬아슬하게 넘기는 '시련이 깃든 빛'이 보이네요. 원래 고바야시 씨는 현실주의자라기보다 정신적 깨달음을 추구하는 사람이니까요. 죽음을 강하게 의식해서 깨닫는 진실이 다른 사람에게도 도움되겠어요."

두 시간 동안 상담했는데, 오히려 서로의 근황 이야기에 시간을 더 보낸 듯했다. 정겹고도 온화한 시간이었다. 이런 말도 들었다.

"마음과 운기와 의료와 노력이 잘 들어맞으면 보다 오래 살 수 있어요."

종합 진단은 대략 이랬다.

"12년에 한 번 도는 홀로스코프가 다섯 번을 돌고 여섯 번째 돌기 시작할 때 병이 발견됐어요. 지금까지와는 다른 인생의 시작점에 서게 된 셈이죠. 병에 대해 듣기 전의 인생과 듣고 난 후의 인생은 확실히 달라요. 어떻게 하면 여생을 의미있게 보낼지 진지하게 생각하기 때문이죠. 누구나 언젠가는 죽지만, 죽을 시기를 알고 나면 남은 시간들이 촘촘해져요. 그러니 지금이 오히려 좋은 인생일 수도 있어요."

'생각지도 못한 일이 벌어지니 인생은 흥미롭다, 힘든 일을 겪어야 극적 변화가 있다, 라는 뜻인가? 그렇다고 목숨을 걸면서까지…….'

이런 생각이 들었지만, 이렇게 된 이상 단단히 각오하면 된다는 뜻일 터. 죽을 때를 알면 인생이 보다 의미 있게 응축될 것이다. 불현듯 언젠가 책에서 읽은 사카모토 료마의 말이 떠올랐다.

"무엇이든 큰맘 먹고 하라. 어느 쪽으로 구르든 인간은 들판의 돌과 같다. 결국 뼈만 남은 채 인생은 끝나므로. 그러니 과감하라."

어쩐지 이 말이 격려가 됐다.

9일째

내 계획과 일을 이어갈 사람을 찾다

저세상에는 아무것도 가져갈 수 없다.
이 세상에서 얻은 건 전부 두고 가야 한다.
안타깝지만 끝맺지 못한 일은
누군가에게 뒤를 맡겨야만 한다.

사이타마현 가와구치시에서 열린 '향토 완구를 즐기다'라는 강연회에 다녀왔다. 남은 생을 선고받기 전에 신청해둔 것이었다. 나의 또 다른 직업은 '히나 인형매년 3월 3일에 여자아이의 행복을 기원하며 장식하는 인형 연구가'. 넓게 보면 '향토 완구 연구가'다.

강사는 본업이 일러스트레이터인 향토 완구 수집가로, 나와 뜻을 같이하는 사람이었다. 맥이 끊길 위기에 처했음에도 근근이 계승되고 있는 향토 완구의 세계. 에도시대부터 지속된 문화유산을 지키고 미래로 계승하려면 흡인력 있는 리더가 필요하다. 그에 대한 희망을 주는 젊은이를 그날 만난 것이다.

30대 초반인 이 청년은 젊은 데다 열정적이어서 전국에 있는 고령의 향토 완구 작가들에게 사랑받고 있는 듯했다. 향토 완구는 중년 이상의 나이 많은 사람들이 소중히 지켜온 세계. 이런 젊은이가 강연회를 열 정도의 일인자라니 정말 기뻤다. 내가 이제껏 해온 향토 완구 업무와 모아둔 수집품은 이 사람에게 맡기면 된다. 안타깝지만 끝맺지 못한 일은 누군가에게 뒤를 맡겨야만 한다.

저세상에는 아무것도 가져갈 수 없다. 이 세상에서 얻은 건 전부 두고 가야 한다. 사람이 죽은 뒤에 남는 것은 자신이 모아둔 것이 아니라 남에게 준 것이다. 그것이 진정한 의미의 '남는 것'이다.

내 회사는 직원들에게 맡기게 되겠지만, 좀 더 넓은 의미의 다양한 문화 사업은 각각의 전문가에게 맡기는 편이 낫다. 수집품은 가치를 이해하는 사람에게 양도하면 된다. 하지만 그 사람도 몇십 년 뒤에는 이 세상에 없을 테니 또다시 누군가에게 맡길 것이다.

죽음의 여러 준비 과정 중에는 '맡기기', '주기'라는 항목이 있다. 내가 이런 선정 작업에 들어섰다고 실감한 것이 이 강연회에서 얻은 수확이었다.

10일째

낯선 곳에서 구원을 청하다

어떻게 하면 동요하지 않고
죽음을 각오하며 죽음과 마주할 수 있을까.
이미 가버린 사람은 돌아와 알려주지 않으니,
내 나름대로 '미답의 길'을 개척하고 싶었다.

우리 집 화장실에서 용변을 보면 창문 너머로 근처 교회 지붕 위 십자가가 보인다. 경건하지 못한 이야기지만, 지리적으로 그렇게 보이니 어쩔 수 없다. 매일 그 교회 앞을 지나면서도 별로 유념하지 않았는데 향토 완구 강연회에서 돌아오는 길, 입구 안내판에 문득 시선이 멈췄다.

지치고 무거운 짐을 진 자는 모두 내게로 오라.

내가 그대들을 쉬게 할지니.

_예수 그리스도

지금 내게 진정으로 필요한 도움을 바로 내 곁의 이웃이 제공해주겠다는 말로 들렸다.

죽음이란 '전인미답前人未踏의 길'이 아니라 '전원미답全員未踏의 길'이며, 그 끝에 도달한 사람은 되돌아오지 않으니 어찌 다다르는지 알 수 없는 길. 어떻게 하면 동요하지 않고 죽음을 각오하며 죽음과 마주할 수 있을까. 이미 가버린 사람은 돌아와 알려주지 않으니, 내 나름대로 이 단판 승부인 '미답의 길'을 개척하고 싶었다. 그러려면 한 번쯤은 이웃 교회에 가봐야 하지 않을까.

용변을 보면서 바라보던 십자가. 가까이 있던 먼 세계. 그 세계가 갑자기 내 앞에 모습을 드러냈다. 마치 '모세의 십계'처럼 내 눈앞에서 바다가 쩍 하고 갈라지는 것 같았다.

마침 다음 날이 일요일이라 아침 예배에 참석했다. 이웃에 있지만 한 번도 발 들인 적 없는 그 교회는 규모가 꽤 크고 스테인드글라스를 한껏 사용한 현대 건축물로, 건축 잡지에 등장할 것처럼 멋졌다. 안에는 높이가 10미터는 되어 보이는 스테인드글라스 십자가가 압도적인 모습으로 자리하고 있었고, 파이프오르간 연주 음악이 장엄하게 흘렀다.

예배 중에는 신도 250여 명과 함께 목사의 설교를 조용히 경청했다. '기도'라는 신과의 대화는 결국 자신과의 대화이며, 자신과의 대화를 축으로 삼아야 비로소 완성된다는 내용이었다. 설교 전후로 찬송가 여섯 곡을 함께 불렀고, 몇 사람이 시를 낭독했다. 어느덧 예배 시간 한 시간 반이 눈 깜짝할 사이에 기분 좋게 지나갔다.

솔직히 말하자면 처음으로 미션스쿨에 참가한 사람처럼 아직 아무것도 모르겠고 이해도 잘 안 된다. 신기하기만 해서 앞으로 계속 다닐지 말지도 정하지 못했다. 다만 요동치던 가슴이 일시적이나마 평화로워진 것만은 확실했다. 오랜만에 천천히 호흡하며 마음을 진정할 수 있을 것 같았다.

11일째

라이프코치를 만나다

"당신은 참을성 많은 어른이지요.
이런 사람은 대개
많은 일을 마음속에 억누르고 있어요.
이대로 참기만 하는 건 그만하는 게 좋아요."

시간의 공백은 불안과 공포로 이어진다. 그래서 죽음의 각오를 단단히 다질 때까지는 업무 시간 외에도 철두철미하게 일정을 잡으려 했다. 미리 잡아둔 약속도 있었고, 계획에 없던 일도 있었다.

죽음은 기대되지 않지만, 희한하게 죽음에 대한 준비는 즐기고 있는 스스로를 발견했다. 그중에서도 라이프코치에게 본격적으로 상담받는 날은 마음이 두근거렸고, 어떤 생각할 거리를 얻게 될까 기대됐다. 라이프코치란 상담자와 소통을 거듭하며 마음을 보살펴주는 사람. 내가 만난 여성 라이프코치와는 이런 대화를 나눴다.

"물에 빠져 지푸라기라도 잡으려는 사람만 대하다 보면 우울해지지 않나요?"

"그렇게 되지 않는 요령이 있어요. 손을 뻗으면 같이 끌려 들어가니까 긴 봉을 내민다든지."

프로의 적확한 말에 속이 후련해지고, 고민이 싹 정리되는 듯했다. 그녀는 이런 말도 해줬다.

"마음속에 있는 걸 '쓰는 작업'을 하면, 다시 '읽는 작업'도 하죠. 그리고 그걸 남에게 '말하는 작업'도 합니다. 말을 하면 다시 내 귀로 듣고 재입력하는 '듣는 작업'도 하게 돼요. '쓰기', '읽기', '말하기', '듣기'를 연속으로 하면 뇌가 새로운 것에 눈을 뜨죠. 그러니 고바야시 씨가 하는 '쓰기'는 매우 좋은 일이고 중요한 거예요."

사람에게는 생각을 정리해야 할 때가, 결심해야 할 때가 있다. 물론 머리로, 가슴으로 하는 작업이지만 말이나 글로 바꿔 표현하지 않으면 제대로 정리가 안 된다. 나 역시 예전부터 뭔가 마음에 걸리는 추상적 고민이 있을 때는 일단 말로 풀어서 논리정연하게 되짚어보거나 글로 써보곤 했다. 그렇게 하면 답이 보였고, 새로운 것을 깨달을 수 있었다.

라이프코치는 다시 말했다.

"고바야시 씨는 참을성 많은 어른이지요. 이런 사람은 대개 많은 일을 마음속에 억누르고 있어요. 그 수위가 점점 올라가서 발밑이 아니라 허리까지 찼을 수도 있어요. 어딘가에서 흘러넘치게 하면 좋겠어요. 그렇게 독소를 내보내면 정신이 맑아지니까요. 이대로 참기만 하는 건 그만하는 게 좋아요."

이런저런 이야기가 계속됐지만, 코치는 내가 어떤 고민을 말해도 받아주고 감싸주며 대답해줬다. 기분이 무척 상쾌해졌다. 역시 전문가다.

돌아가려는데 코치가 이런 충고를 했다.

"항상 웃는 얼굴로 지내세요. 웃으면 몸에 좋으니까요."

나도 모르는 내 안의 힘으로 죽음의 공포를 떨쳐내다

어쨌든 나는 인생의 위기에 직면했을 때
잠재의식을 최대한 활용했고,
그 덕분에 죽음에 대한 공포가 희미해졌다.
참으로 불가사의한 일이다.

남은 생을 선고받고 열흘 남짓. 가족과 친한 친구에게 알리고, 신사와 절에 가고, 라이프코치를 만났다. 아울러 그리운 고향인 99리 해안 시라코까지 차로 달려가고, 점술가를 찾아가 흔들리는 마음의 길잡이를 청하고, 이웃 교회의 예배에도 참석하며 초조한 마음이 움직이는 대로 우왕좌왕했다.

'죽음의 공포를 떨치고 각오를 세우기 위한 시간'이라 해야 할 질풍노도의 열하루. 두려울 만큼, 아니 기분 좋을 만큼 효율적으로 움직였더니 이제 죽음에 대한 공포는 옅어졌다. 연속된 우연으로 이룬 성과이긴 하지만, 마치 '죽음의 각오를 돕는 전문가'가 마련해준 '11일간의 프로그램' 같았다는 생각이 든다. 가장 중요한 시점에 어떻게 움직여야 할지 머릿속에서 필사적으로 생각한 결과였다. 잠재의식 속에 잠들어 있던 다양한 지혜를 끄집어내 모으고 연결하여 스스로 행동하게 만든 것이다. 절체절명의 위기 상황에서 발휘되는, 나도 모르는 내 안의 가공할 만한 힘이다.

뇌 구조를 해설한 책에 따르면 인간의 기억은 한 차례 전두엽에 저장됐다가 99%는 잊힌다고 한다. 그리고 기억하려 한 것이나 인상에 남은 것 등 1% 정도가 측두엽으로 옮겨져 잠재의식으로 저장된다. 말하자면 잠재의식이란 스스로 골라서 보관한 정보의 모든 것. 사람은 이 잠재의식에서 지혜를 끌어내 생각을 조직화하고 중요한 일을 결정한다.

혹시 전생의 기억도 잠재의식 안에 잠들어 있다가 벼랑 끝에 몰렸을 때 계시처럼 깨어나는 건 아닐까? 경험한 적 없는 일이 번뜩 떠오르거나 절대 모를 지식이 꿈속에 나타나는 건 그 때문인지도 모른다.

어쨌든 나는 인생의 위기에 직면했을 때 잠재의식을 최대한 활용해 가공할 만한 힘을 남김없이 발휘했고, 그 힘으로 할 수 있는 일과 해야 할 일을 다 했다. 그 덕분에 죽음에 대한 공포가 희미해져 마침내 죽음을 각오할 수 있었다. 참으로 불가사의한 일이다.

제2장

죽음을 각오하면 비로소 보이는 것들

마음을 위로하는 말에는 기특한 힘이 있다

마음을 기댈 수 있는 말을 많이 찾아두고
기억해둔다. 그런 말들은 벼랑 끝에서도
사람을 버티게 하는 힘이다. 마음만 알아주면
무슨 일이든 이겨낼 수 있을 테니.

공포감이 옅어지자 죽음을 어떻게 각오해야 할지 서서히 보이기 시작했다. 친구를 비롯한 많은 이의 말에 힘을 얻은 덕분이기도 하다. 사람들의 말은 탁류에 휩쓸릴 듯한 나를 건져 올려줬고, 어쩔 줄 몰라 절규하며 내달리고 싶은 아슬아슬한 정신 상태를 진정시켜줬다.

친구들은 각각 이런 말을 해줬다.

- “아버지도 간질성 폐렴이었는데 마지막 일주일만 괴로워하셨어. 그러니 다른 죽음과 비슷해.”
- “악마와 거래해서라도 살 수 있는 방법을 생각해봐.”

한 대학 후배는 말했다.

- “선배가 아무리 죽음을 달관해도 전 아직 인정 못 해요.”

지인의 아들에겐 이런 말을 들었다.

- “앞으로는 되도록 제가 곁에서 힘이 되어드릴게요. 고바야시 씨한테 배워야 할 게 아직 많으니까, 옆에서 지켜보며 제 걸로 만들고 싶어요.”

후쿠오카의 여성 지인은 현실적 걱정을 해줬다.

- “이제 별거 아닌 일에는 아무 신경 쓰지 마. 돈을 잔뜩 마련해서 크루즈로 세계 일주를 해보는 건 어때? 근데 죽을 때도 돈이 든다던데, 괜찮을까?”

라이프코치는 말했다.

- “신사나 절은 풍수지리상 기운 좋은 곳이니, 가면 마음이 차분해지죠.”
- “참지 말고 울부짖으면 편해져요. 제가 도와드릴게요.”
- “웃으면 반드시 병을 견딜 수 있어요.”

점술가의 조언도 인상적이었다.

- “힘든 일을 겪으면 스스로가 크게 바뀌죠.”
- “고향에 간 건 정말 잘한 거예요.”
- “고바야시 씨는 새로운 단계에 들어섰어요. 죽음을 각오했으니 남은 생을 소중히 여기며 살아갈 수 있어요.”
- “마음과 운과 치료와 노력이 잘 들어맞으면 더 오래 살 수 있어요.”

난생처음 찾아간 동네 교회에서 목사가 한 말도 기억해두고 싶다.

- “구하세요. 그러면 반드시 주십니다.”

비록 결론은 '흉'이었지만, 가시마 신궁에서 뽑은 제비에 적힌 말도 생각난다.

- '석양이 지는 듯하다. 당분간 만사를 쉬어야 할 때다.'

이런 말 하나하나가 용기를 북돋아주면서 나를 분발하게 했다. 무엇보다 죽음의 각오를 다지는 데 도움이 됐다.

난치병을 선고한 의사에게 들은 말이라고는 이것뿐.

"이 병은 치료법도 약도 없어요."

시간이 좀 지나 다른 병원에서 2차 소견을 듣고는 의사를 바꾸기로 했다. 유감스럽게도 난치병인 병명이 번복되지는 않았지만, 새로운 주치의는 내 눈을 보며 말했다.

"100분의 1, 200분의 1이라도 나을 가능성이 있으면 포기하지 않습니다."

이 말이 가슴을 울렸다. 만약 그냥 있었다면 여전히 괴로움에 몸부림치며, 분명 잘못된 길에서 갈팡질팡했을 거다. 죽음을 각오하기는커녕 원망만 품은 채 이 세상을 떠났을지도 모른다.

현재 안락사를 인정하는 스위스는 이와 관련해 놀랍고도

흥미로운 통계 자료를 갖고 있다. 자살 방조에 의한 안락사를 원할 경우 희망자의 의료 기록을 철저히 분석해 정말 살기 힘들다고 판단될 때만 치사량의 약을 처방하는데, 해당 환자는 안락사가 가능하다는 걸 알게 된 시점부터 '자살 희망' 의지가 급속히 약해진다는 것이다. 그 비율은 무려 80%! 80%나 되는 그들의 마음은 이런 게 아닐까.

'살아 있는 지옥에서 빠져나갈 방법이 있다는 걸 알았으니 이 부당하고 억울한 상황을 사회가 이해해주기만 하면 참을 수 있다. 괴로움을 진심으로 공감해주고, 안락사에 대한 법적 권리만 보장해주면 그걸로 됐다. 죽음을 앞둔 고통을 견딜 수 있다. 괴롭더라도 죽음을 기다리겠다.'

역시 '고통스러우니까 죽는다'는 생각은 너무 단순하고 왠지 받아들이기 힘들다. 윤리관으로 보나, 종교관으로 보나, 무엇보다 가족의 입장을 생각하면 더 그렇다.

마음만 알아주면 무슨 일이든 이겨낼 수 있는 것 아닐까. 그러니 마음을 기댈 수 있는 말을 많이 찾아 기억해둬야겠다. 그런 말들은 벼랑 끝에서도 사람을 버티게 하는 힘이다.

물건에 대한 집착은
끊고 버리고 벗어난다

참으로 시원하고 개운한 작업이었다.
물건을 남에게 줄 때마다, 쓰레기를 내놓을 때마다
인생에 대한 미련도 버릴 수 있었다.

무엇을 하고, 무엇을 버릴까.

삶의 끝 지점이 시야에 들어온 사람에게 이 같은 분류는 긴박하고도 중요한 과제다. 앞서 말한 '죽음을 받아들이는 5단계'로 치면 최종 단계인 '수용'에 해당한다. 다른 말로는 '포기' 단계인데, 이 단어에는 원래 '명확히 한다'는 뜻도 있다. 즉, 괴로운 현실을 명확히 인식하고 적극적으로 받아들이려는 단계인 것이다.

나는 남은 생의 종착점을 향해 자세를 바로잡은 후 '미니멀 라이프'를 지향하게 됐다. '끊고, 버리고, 벗어남'으로써 유유자적해지는 것. 특히 물건에 대한 집착에서 해방되어 가볍고 쾌적한 여생을 손에 넣는 것이다. 실은 이제까지 내가 제일 못하는 일이었는데, 인생의 가장 중요한 시점에 이르러서까지 그런 핑계를 댈 수는 없다. '아까우니까!'라며 소중히 간직해봤자 유품은 대부분 쓰레기가 된다.

필요 없는 물건은 마음에서부터 끊어낸다. 사용하지 않는 물건은 버리거나 다른 사람에게 주거나 바자회에 내놓는다. 이렇게 물건에 대한 집착에서 미련 없이 벗어나 마침내 결별한다. 이런 발상이 필요하다.

사회생활이나 인간관계와 달리, 물건은 버리면 그걸로 끝이다. 살고 있는 임대 맨션은 내가 '마지막 입원'을 하면 해약하기로 했다. 그전에 물건이라 할 만한 것들은 신나게 버리고, 다른 사람이 원할 것 같은 물건만 남겼다.

옷과 소지품도 나누기 시작했다. 넥타이를 거침없이 나눠

줬더니 귀여워하는 후배가 시계도 갖고 싶어 해서 흔쾌히 선물했다. 내가 주지 않는데 상대가 먼저 달라고 말하지는 못한다. 저세상에는 아무것도 가져갈 수 없으니, 떠나는 사람이 기세를 올려야 한다.

참으로 시원하고 개운한 작업이었다. 쓰레기를 내놓을 때마다, 물건을 남에게 줄 때마다, 인생에 대한 미련도 버릴 수 있었다. 이 과정에서 남을 위해 쓴 시간은 고스란히 소중한 추억이 될 것이다.

물건 정리 다음으로는 해야 할 일을 정한다. 중요한 일과 완결해야 하는 일의 우선순위를 매긴 다음, 하고 싶은 일부터 해 나가는 것이다. 이는 인생 전체를 정돈하는 작업이기도 하다.

인생 최후의 시간은
뺄셈으로 생각한다

지금까지는 기를 쓰고 열심히 하는 것이
'죽을 각오'였지만, 이제부터는 최소한의 노력으로
손실 없이 확실하게 성과를 내는 것으로
그 의미가 바뀌었다.

"죽을 각오로!"

사람들은 이런 말이나 생각을 자주 한다. 그런데 내가 실제로 죽을 몸이 되자 이 '죽을 각오'라는 말의 의미가 완전히 다르게 다가왔다.

건강한 사람이 말하는 '죽을 각오'는 저돌성, 탐욕, 덧셈, 곱

셈 등 플러스 발상이다. 가령 절망의 구렁에 빠져도, 죽어버리고 싶어도, 죽을 각오라면 무엇이든 할 수 있다. 말하자면 넘쳐흐르는 힘을 쏟아붓는 이미지다.

반대로 죽음을 눈앞에 둔 사람에게 '죽을 각오'란 냉정, 침착, 뺄셈 등 마이너스 발상이자, 손실 없는 확실성을 추구하는 총결산의 사고방식이다. 무엇과 무엇을 어디부터 시작해서 확실히 완성하는가의 문제인 것이다.

나 역시 지금까지는 플러스 발상을 축으로 기를 쓰며 열심히 하는 것이 '죽을 각오'였지만, 이제부터는 마이너스 발상을 통해 최소한의 노력으로 최대 효과를 거두는 것, 손실 없이 확실하게 성과를 내는 것으로 그 의미가 바뀌었다.

지금 내가 실패를 두려워하지 않는다는 건 거짓이다. '실패는 성공의 어머니'라지만, 내게는 '다음'이 없다. 이제 한 가지밖에 할 수 없다고 여겨야 그 하나라도 확실하게 완성한다. 게다가 죽는 것도 한 번뿐이다. 반복할 수 없다.

죽음을 선고받기 전에는 무엇이든 무한히 할 수 있다고 생각했기에 마음만 앞세우고 뒤로 미루는 일이 허다했다. 하지만 인생을 집대성하려면(아니 적어도 중년이 되면) '곧 죽을 사람의 죽을 각오'라는 발상으로 맡은 일을 확실히 마무리하려는 마음가짐이 필요하다. 이런 마음으로 남은 시간을 계산하면서 인생을 완성해가면 실수나 손실이나 헛수고가 줄어든다. 즉, 효율이 좋아진다. 이제까지 없던 새로운 것을 발견하거나 구체적인 답을 찾을 수도 있다. 죽기 전에 이 경지에 다다르면 남는 장사다. 죽을 사람이 하는 말이니 틀림없을 것이다.

실제로 죽음의 선고가 내 마음의 수면에 커다란 파문을 일으켜 기분이 단번에 가라앉았지만, 인생에서 가장 길게 느껴진 열하루가 지나자 파문은 점점 진정됐다. 잠재의식 속에서 죽음을 각오하기 위한 최적의 해결책을 필사적으로 선택한 덕분이었다. 죽을 각오로 임하면 대개의 일은 열흘 정도면 결말이 나는 걸까. 내 마음의 복원력에 감탄했고, 인생의 가치관을 단숨에 바꿔버린 나 자신에게 놀랐다.

여러 꿈과 많은 계획도 가차 없이 버렸다. 그런 다음 '나는 어떤 것을 해야 할까?' '하고 싶은가?' '할 수 있는가?'를 생각했다. 우선 '사업(가게)', '저술', '가족', '사회봉사'라는 네 부문에서 하고 싶은 일을 두 가지씩 꼽고 순번을 정했다(이혼한 몸인지라 가족 관련 사항은 애초부터 그리 많지 않지만).

이때 유의한 점은 '절대 실패하지 않는다'는 것이었다. 주어진 시간이 짧기에 실패할 시간은 더더욱 없다. 결과의 확실성이 가장 중요하므로 거대한 꿈은 꾸지 않았다. 선택할 요소가 적으면 우선 과제가 뚜렷이 보인다. 대신 성과만은 되도록 높이고 싶었다. 그래서 '지금 하는 일이 살아온 증거가 되는가'를 척도로 삼았다.

이렇게 네 부문에서 하고 싶은 일을 두 가지씩 꼽으니 바라는 사항은 총 여덟 가지. 이 중에서 다시 우선순위를 정했다.

이제까지는 시간이 충분했고 근거 없는 자신감에 넘쳐 뭐든 공격적으로, 반드시 할 수 있다는 기세로 임해왔다. 쓸데없는 일도 했지만 건강했고, 헛수고 역시 다음을 위한 에너지가 됐다. 하지만 앞으로는 그렇게 할 수 없는 처지다. 시간도 체력도 정신력도 제한되어 있다. 따라서 더 많이 주판알을 굴리며 효율적으로 마무리 지어야 한다. 정확한 도안을 바탕으로 가치를 부여하면서 일을 갈무리하고 싶다.

죽음의 긍정적
모순을 깨닫다

'죽음'이라는 인생의 결승점을 강하게 의식한 뒤로
지금까지의 번뇌에서 벗어나 깨달은 것이 있다.
죽음이 모든 이에게
어둡고 무겁고 슬프고 괴롭지는 않을 거라는 것.

어느 날 갑자기 '나에겐 꿈이 있고, 희망이 있어.'에서 '나는 꿈을 버리고, 희망을 버리고, 어떻게 죽을 것인가.'로 뒤바뀐 인생. 일단 죽을 몸이 되면 다양한 사실을 발견하게 된다.

추리소설의 거장 야마모토 슈고로는 말했다.

"인간이라는 존재는 '이제 죽는다.' 싶은 마지막 순간이 되어서야 여러 가지를 깨닫는다."

20여 년 전 연극 무대를 중심으로 활약하다 70세에 난소암으로 세상을 떠난 인텔리 여배우 카하라 나츠코는 생전에 이런 말들을 남겼다.

- "죽음이라는 경험을 배우로서 살리지 못하는 것이 억울하다."
- "죽는 건 처음이라서 어떨지 너무 기대돼. 하지만 이렇게 말하면 경건하지 않아 보일 테니 잠자코 있는 거야."

카하라 나츠코가 슬며시 남긴 이 말을 《창가의 토토》의 저자 쿠로야나기 테츠코가 세상에 알렸는데, 어째선지 내 기억에 강하게 남아 있다.

죽음을 이야기하는 것은 금기며, 더욱이 기쁜 듯 말하면 경박해 보인다는 것이 세상의 상식. 적극적으로 밝게 죽음을 받아들이는 이야기는 일절 밖으로 드러나지 않는다.

하지만 죽음이 모든 이에게 어둡고 무겁고 슬프고 괴롭지는 않을 터. "고마워."라고 말하며, "후회 없는 일생, 즐거웠어."라고 만족하며, 웃는 얼굴로 이 세상을 떠나는 사람도 있을 것이다. 그것을 증명하듯 이제껏 당연히 여겨온 상식에 대해 '아닌데?'라고 생각하게 되는 '죽음의 모순'이 여럿 등장했다.

그러고 보면 정말 행복한 죽음, 만족스러운 죽음도 있을 것이다. '죽음'이라는 인생의 결승점을 강하게 의식한 뒤 다다른 해탈의 경지인지, 조금 일찍 세상을 떠나는 나 자신을 이해시키고 내 죽음을 정당화하려는 무의식의 작용인지는 모르겠지만, 지금까지의 번뇌에서 벗어나 깨달은 바로는 그렇다. "죽는다"는 말을 듣고 개념의 대전환이 일어난 것만은 분명하다.

수명보다 인생의 질에 가치를 둔다

아무리 노력해도 수명은 몇 배씩 늘릴 수 없지만,
능력이나 수입 등은 노력에 따라 무한대로 늘릴 수 있다.
노력의 관건은 결국, 인생의 질을 개선할 수 있는가다.

'사람은 단지 오래 살면 좋은 것일까?'

이 세상을 일찍 떠날 예정인 내 머릿속에서 이런 의문이 커져갔다.

세계보건기구의 2014년 세계보건통계에 따르면 일본인의 평균수명은 남녀를 합쳐 84세이고, 이로써 일본은 전년도에 이어 세계 최장수 국가가 됐다. 남녀를 따로 보면 일본 여성의 평균수명은 87세로 세계 1위, 남성은 80세로 8위였다. 일본은 앞으로 더욱더 장수 대국이 되고, 사람들은 점점 더 오래 살 것이다.

하지만 죽음을 새롭게 인식하며 바라보게 된 나는 수명에 대한 생각도 달라졌다. '내 안의 새로운 발견'이라 할 만한 관점이 생긴 것이다. 그건 바로 '수명만큼 사람들이 평등한 한계를 갖는 건 없다'는 것.

수입이나 능력은 노력에 따라 몇 배에서 몇십 배 차이가 나지만, 수명은 평균수명과 거의 같거나 그보다 짧다. 수명도 수입처럼 노력에 의해 두세 배쯤 차이가 나면 좋으련만, 남녀 평균인 84세 정도까지 사느냐, 그보다 먼저 죽느냐, 둘 중 하나다. 간혹 더 오래 사는 사람이 있어도 고작 20%. '84×1.2'로 계산하면 '100세'를 조금 넘기는 수준이다.

평균수명보다 20% 더 산다 해도 대개는 자리를 보전한 채 겨우 살아갈 뿐. 살아 있는 행복을 마지막 순간까지 건강하게 향유하는 '건강 수명'을 누리는 사람은 매우 드물다. 평균수명에서 10%쯤 더한 92세 정도가 스스로 움직이며 건강하게 살 수 있는 일반적 한계가 아닐까.

결국 수명은 운에 달렸다. 아무리 건강 유지를 위해 노력한들 기껏해야 수명을 10% 늘리느냐 마느냐 정도의 효과밖에 없다. 수입이나 능력은 몇십 배씩 격차가 생기는 게 당연시되면서 수명은 고작 10% 증가?

세상 사람 대부분이 건강을 유지하기 위해 엄청난 에너지를 쏟아부으며 노력하고 있다. 장수를 꿈꾸면서 몸에 신경을 쓰고, 들이는 시간과 돈도 상당하다. 특히 중년층의 화제는 온통 '건강법'이나 '장수하는 요령' 일색인데, 노력 대비 효과로 따져보면 그다지 수지가 안 맞다. 그렇다면 '건강 증진'보다 '능력 증진'에 신경을 쓰는 것이 노력 대비 효과가 훨씬 좋지 않을까.

모두 "몸을 위한다"는 말은 하면서 "머리를 위한다", "마음을 위한다"는 말은 별로 하지 않는다. 머리나 마음을 몸만큼 소중히 여기지 않는 듯하다. 하지만 건강을 위해 아무리 노력해도 수명은 두 배가 될 수 없지만, 능력이나 수입은 노력하면 몇 배 혹은 몇십 배씩 늘어난다. 특히 능력은 수명과 달리 무한대로 늘어난다.

생의 시간이 얼마 남지 않았더라도 자신의 능력(성격도!)을 다시 살펴 개선하는 일은 불가능하지 않다. 주변 사람들이 내가 저세상으로 간 것을 애석해하고, 나를 정말 좋은 사람으로 추억하게 하기 위해서라도 최후의 순간까지 나 자신에게 인생의 질을 묻고 싶다.

마냥 좋은 일도,
마냥 나쁜 일도 없다

죽는 것이 불행이라고만 할 수는 없다.
죽음으로써 손에 넣을 수 있는 행복도
분명 있다.

지금까지는 목표로 한 결승선에 도달하면 '그다음 미래'가 있었지만, 죽음이라는 종착점에는 '다음'이 없다. 시간도 '무한'하지 않고 '유한'하다. 실패는 다음을 위한 '교훈'이 되지 못하고 최후의 '결과'가 된다. '어떻게 살 것인가'가 아니라 '어떻게 죽을 것인가'를 고민해야 한다.

그러다 보니 이제까지 좌우명으로 삼아온 적극적인 말들에는 흥미가 사라졌고, 공감할 수 없게 됐다. 예를 들면 다음과 같은 말들이다.

오 사다하루일본 프로야구에 수많은 기록을 남긴 야구 황제는 말했다.

- "노력은 반드시 보상받는다. 보상받지 못하는 노력이 있다면 노력이 부족한 것이다."

마쓰시타 고노스케가전업체 마쓰시타전기산업의 창업자. 일본에서 '경영의 신'이라 불리며 국민적 존경을 받는 기업인는 말했다.

- "진보는 무한대라는 생각으로 임하면 끝없이 나아갈 수 있다."

이나모리 가즈오교세라 명예회장. 마쓰시타 고노스케, 혼다 쇼이치로와 더불어 일본에서 가장 존경받는 3대 기업가는 말했다.

- "노력에는 한계가 없다. 한계가 없는 노력은 놀랄 정도로 위대한 일을 달성케 한다."

이전까지는 동서고금의 '적극적인 삶을 위한 말', '무한한 가능성을 지닌 말'을 좋아했지만, 삶의 지향점이 뒤바뀌면서 '한계에 부닥쳤을 때 도움되는 말', '약간 소극적인 말'이 좋아졌다. 이를테면 이나모리 가즈오의 다른 말 중에서 "이제 끝났다고 할 때가 일의 시작점"이라는 말이 마음에 와 닿는다. '궁지에 몰렸을 때가 기회', '전화위복轉禍爲福', '역전 끝내기 홈런'이라는 말에 더 끌리는 것이 감출 수 없는 내 심정이다.

'인간 만사 새옹지마塞翁之馬'에도 공감한다. 이 말은 《회남자淮南子》라는 옛 중국 서적에 나온 고사에서 유래했다. '불행으로 보이는 일이 복이 되고 복이라 생각했던 일이 재앙이 되니, 인생에서 무엇이 행복이고 무엇이 불행인지 알 수 없다'는 가르침을 준다. 고사의 내용을 간략히 설명하면 이렇다.

어느 노인이 기르던 말이 도망쳐버려서 마을 사람들이 "화를 입었네요."라고 위로했는데, 노인은 "아니, 이 일로 행복해질지도 몰라."라며 태연했다. 얼마 안 있어 도망쳤던 노인의 말이 명마를 이끌고 돌아왔다. 마을 사람들이 "좋겠네요."라며 축하해줬지만, 노인은 "아니, 이 일이 화가 되지 않는다고 장담 못 해."라고 말했다. 아니나 다를까 노인의 아들이 그 명마를 타다가 떨어져 다리가 부러졌다. 마을 사람들이 안됐다 여기며 병문안을 오자 노인은 "아니야, 이 일로 행복해질 수도 있어."라고 했다. 얼마 후 전쟁이 났고, 젊은이 대부분은 전사했지만, 다리가 부러진 아들은 전쟁에 나가지 않아 무사했다.

주위 사람들은 말한다.

- "반드시 괜찮을 거야!"
- "오래 살 수 있어요."
- "노력하면 틀림없이 좋아질 거예요."
- "포기하지 마."

긍정적이고 건강한 사람들의 격려라서 고맙지만, 아무 근거가 없어서일까. 시간이 갈수록 점점 불편해졌다. 오히려 이런 생각들을 하면 기분이 절로 좋아졌다.

- '죽는 것이 불행이라고만 할 수는 없다.'
- '죽음으로써 손에 넣을 수 있는 행복도 분명 있다.'
- '화가 뒤바뀌어 복이 된다.'

돈과 욕망은 갈등의 불씨에 불과하다

돈은 살아 있는 동안
자신의 즐거움, 가족, 함께 일하는 사람들
그리고 세상을 위해 써야 한다.
그러면 인생의 품격이 올라간다.

나는 남은 생을 선고받기 훨씬 전부터 나름의 '생사관生死觀'을 갖고 있었다. 이 생사관이 내가 살아가는 밑바탕이 됐기에 죽음을 갑자기 선고받고도 오랫동안 동요하지 않을 수 있었던 것 같다. 이런 경험을 여러 사람에게 전하고 싶어 쉽게 정리한 내용을 소개하고자 한다.

"저 사람, 저렇게 돈 벌어서 뭐 하려 그러지? 돈은 저세상에 갖고 갈 수 없는데."

우리는 다소 질투 섞인 마음으로 이런 말을 하곤 한다. 실제로 돈도 부동산도, 죽을 때는 무엇 하나 가져갈 수 없다. 재산은 가족이 상속한다. 이 세상의 욕망과 부귀영화는 죽은 사람에게 아무 가치가 없다. 있다면 '갈등의 불씨' 정도의 가치일 뿐이다.

사랑하는 사람도 애완동물도 못 데려간다. 아주 드물게 남편 뒤를 따라 부인도 저세상에 갔다는 이야기를 들을 때가 있다. "아빠는 자기 생각만 하고 외로움을 많이 타니까 엄마를 데려간 거야."라든지, "어머니는 아버지가 염려스러워서 따라가신 거야."라든지. 하지만 남편을 먼저 보낸 부인도 대개 몇 개월이 지나면 다시금 밝게 제2의 인생을 시작한다.

사회생활을 하던 사람이라면 회사도 직위도 남는다. 떠난 자리에는 다음 누군가가 앉는다. 다만 능력과 인맥과 인덕은 죽어서도 가져갈 수 있다.

한창 하던 일이 그 사람의 능력에 기댔던 업무라면 그가 떠난 후 기세가 꺾인다. 후임자가 우수하면 괜찮지만, 그렇지 않으면 힘들어진다. 작은 회사는 도산 위기를 맞기도 한다. 인맥도 마찬가지다. 사회는 인맥을 중심으로 돌아가기에 능력 있는 누군가의 부재는 여파가 크다. 최전선에서 현역으로 뛰던 사람이라면 더욱 그러하다. 인덕 역시 저세상에 가져가므로 회사를 이끄는 힘이 흩어진다. 그래서 우수한 사람이나 인품 좋은 사람이 세상을 뜨면 남은 사람들은 "훌륭한 사람을 잃었다"며 그리워한다.

저세상에서 필요한 것은 생전의 인덕이다. 그것으로 저세상의 있을 자리가 정해지고, 내세에 무엇으로 태어날지가 결정된다. 역시 인간으로 태어나는 것이 좋을 것이다. 그러니 바람직한 내세를 맞이하려면 현세에서 부지런히 인덕을 쌓아야 한다.

결론을 말하자면 돈에 크게 집착하지 말 것. 돈은 살아 있는 동안 자신의 즐거움, 가족, 함께 일하는 사람들 그리고 세상을 위해 써야 한다. 그러면 인생의 품격이 올라간다.

나는 짧은 여생을 선고받고 생명보험을 재점검했다. 연금형 생명보험이라 지급받을 때쯤엔 내가 이 세상에 없을 테니 가장 먼저 해약했다. 해약금은 저승길 노잣돈으로 챙겨두거나 경조사비를 낼 때 두둑이 넣을 생각이다. 이렇게 남은 생을 계산하며 지갑의 부피를 서서히 줄여나가는 거다.

가는 날까지 돈과 욕망에는 집착하지 않을 것이다. 명예와 실리 중에는 명예를 취할 것이다.

원하는 날
떠날 수도 있다

"스스로 언제까지 살고 싶다 생각하면 그렇게 돼요."
라이프코치가 말했다.
"구하세요. 그러면 반드시 주십니다."
교회 목사가 말했다.

12세기 일본의 시인이자 승려인 사이교 법사는 이런 사세구辭世句, 세상을 떠나려 할 때 죽음을 결심하고 마지막으로 남기는 시가 따위의 문구를 읊었다.

할 수 있다면 봄 벚꽃 아래서 죽고 싶구나.

석가모니가 입멸한 2월 보름 무렵에.

그러고는 정말 딱 원하던 날에 세상을 떠났다.

라이프코치는 말했다.

"스스로 언제까지 살고 싶다 생각하면 그렇게 돼요."

교회 목사도 이야기했다.

"구하세요. 그러면 반드시 주십니다."

실제로 내 친구는 '죽는다면 10월 중에서도 10일'이라는 옛말처럼 날씨 좋은 10월 10일에 떠났고, "남편 3주기만큼은 끝내고 나서……."라는 바람대로 된 아내 이야기도 있다. 내 부모님 역시 당신들이 가고 싶은 날을 골라 가셨다. 이처럼 죽는 날에 관한 일화는 세상에 많은 듯하다.

1918년 7월 7일생인 아버지는 1995년 7월 7일 77세가 되셨고, 평소 주사위 두 개를 던져 같은 숫자가 나오면 매우 기뻐하셨다. 떠나신 날은 79세가 되던 1997년 9월 9일. 8월의 어느 날 병원에서 아버지의 죽음이 다가오는 것을 느끼고 '이제 한계인가…….' 싶었는데, 어느덧 9월을 맞이하셨다. 9월이 되자 '그럼 9일까지는 분명 힘내실 거야…….'라는 생각이 들었고, 아버지는 정말로 9월 9일에 바로 숨을 거두셨다. 마지막까지 숫자 맞추기를 고집한 멋진 생애였다.

어머니는 12월 31일 아침에 가셨다. 나는 음식점을 운영하므로 12월 31일과 1월 1일만 쉰다. 게다가 가게는 집을 개조한 것이어서, 이 이틀 동안만 가게의 큰방을 개인 공간으로 쓸 수 있다. 러시아에서 일하고 있는 손주도 연말연시 휴가차 집에 돌아와 있었다. 어쩌면 어머니는 '죽는다면 이날밖에 없어!'라고 골라서 떠나신 게 아닐까. 장례식장 영안실이 아닌, 집의 다다미방에서 이틀을 머물며 가족 전원과 느긋하게 이별하셨다.

'언제까지는 살고 싶다.'라고 간절히 바라면 정말로 현실이 되는 모양이다. 나도 그럴 거라 믿는다.

그렇다면 이 세상을 떠나기 전에 사이교 법사처럼 사세구를 지어두는 건 어떨까. 거창하고 부담스럽다면 평소 마음을 표현한 시나 삶의 지향점을 담은 좌우명으로 대신해도 좋을 것이다.

'학문의 신'이라 불리는 헤이안 시대 전기의 대표 시인이자 관료인 스가와라노 미치자네는 우다 천황 시절 관료 중 서열 세 번째인 '우대신'까지 초고속 승진했는데, 모략에 빠져 좌천되기 전 이런 시를 읊었다.

동풍이 불거든 향기를 전해주렴 매화여.

주인이 없더라도 봄을 잊지 말거라.

헤이안 시대의 꽃 '매화'로 무념의 마음을 읊은 것이다. 그러자 매화나무가 하루아침에 시인이 살던 교토에서 유배지인 후쿠오카의 다자이후로 날아왔다는 이야기가 전해진다. 여기에는 약자의 편을 드는 미학도 있다. 이 역시 멋지다. 게다가 시인은 이 시로 역사에 이름을 새겼다. 이런 노래가 있느냐 없느냐에 따라 역사상 존재감이 완전히 달라질 것이다.

한편 국민 배우 다카쿠라 켄은 세상을 뜨고 나서 좌우명이 널리 알려졌다.

가는 길에 정진하고, 참고 견디어 끝내면, 후회는 없다.

해석하면 이렇다.

'괴로운 일이 있어도 정성을 다해 노력한다. 스스로를 향상시키려면 그래야 한다. 괴로운 일을 인내하다가 설령 그대로 끝나더라도, 자기 향상에는 확실한 득이 되었으니 후회 없다.'

《대무량수경大無量壽經》이라는 경전의 '탄불게嘆佛偈'에 나오는 구절로, 히에이산에 위치한 천태종의 총본산 엔랴쿠지延曆寺 승려가 다카쿠라 켄에게 보낸 말이라고 한다. 이런 좌우명이 삶의 중심이었다가 세상을 떠난 뒤 알려지다니, 정말 멋지다.

우리도 이런 점을 고려해 어떻게 죽을지 생각해야 하지 않을까. 좌우명 자체가 죽기 전 마지막으로 남기는 시가 되도록 고르면 이 세상을 떠난 뒤에도 사람들의 기억에 오래 남을 것이다. 나는 바로 여기에, 누구에게나 찾아올 죽음을 바라보는 커다란 힌트가 있다고 생각한다.

장수를 무조건 예찬하지 않는다

살아만 있다고 좋은 건 아니다.
나 자신이 장수할 수 없는 처지가 되자,
비로소 '적정 수명'에 대해 생각하게 됐다.

노년의 삶에 대해 많이들 말하지만, 다음 세 가지 조건을 갖추지 못하면 노후는 행복할 수 없다.

1. 건강한 노후(자립성)
2. 풍족한 노후(경제성)

3. 보람 있는 노후(필요성)

건강하지 않으면 외출도 못 하고 누운 채로 지내야 한다. 경제적으로 풍족하지 않으면 노후를 보낼 생활비와 의료비가 없어 생활 자체가 곤란해진다. 보람이 없으면 살아갈 희망을 잃고 남들 냉대에 상처받아 결국 우울증에 걸리기도 한다.

최근 '노후 파산'이니 '하류 노인'이니 하는 말을 듣게 되는데, 참으로 비참한 현실이다. 게다가 85세 이상은 네 명 중 한 명이 치매라고 한다. 훌륭했던 사람도 마지막에는 개인의 존엄이 무너지고 마는 것이다.

미래에 그렇게 될 확률이 높은데도 사람들은 어찌됐든 장수를 예찬한다. 그러나 살아만 있다고 좋은 건 아니다. 나 자신이 장수할 수 없는 처지가 되자, 비로소 '적정 수명'이라는 개념에 대해 생각하게 됐다. 오래 살면 위험 요소도 많아진다는 사실을 인정하게 된 것이다.

나 역시 죽음이 멀리 있을 때는 막연히 '오래 살고 싶다'고 생각했다. 100세까지는 욕심이라 해도 80세 정도까지는 건강하게 살 수 있으면 하고, '노환으로 자리보전하거나 치매에 걸리면 어떡하지?'라는 생각은 하지 않았다.

인간의 마음 한구석에는 위험 요소를 외면한 채 '계속 오래 살고 싶다'고 바라는 단순한 사고방식이 분명 존재한다. 하지만 죽음을 선고받고 죽음을 진지하게 고찰하면, '어찌됐든 장수가 최우선'이라는 생각이 정답이 아닐 수도 있다고 느끼기 시작한다.

오래 살면 주위에도 폐를 끼친다. 끝을 모른 채 지루하게 이어지는 삶보다 좋든 싫든 여생을 선고받은 날, 물러날 때에 맞춰 일생을 마지막으로 재구성하는 것도 나쁘지 않다고 본다.

제3장

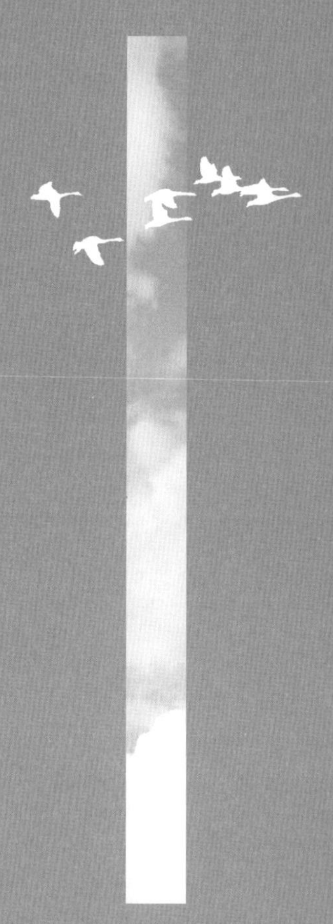

죽음은 두려운 것이 아니다

죽음이라는 경험은 어떤 것일까

"만나고 싶은 사람이 이승과 저승 중 어느 쪽에 많은가?"
이런 질문을 받는다면, 나는 곧바로 "저승!"이라 답할 것이다.
아버지도 어머니도 조부모도, 일찍 세상을 뜬 친구도
모두 그곳에 있다.

사람은 죽으면 어떻게 될까.

우선 '죽으면 아무것도 없다'는 설이 있는데, 이것도 나름 괜찮다고 생각한다. 꿈도 꾸지 않고 잠든 상태, 깨어나지 않는 숙면 상태와 같으니 무섭다는 느낌조차 없는 완전한 무無다. 아무것도 없으면 생각할 필요도 여지도 없다.

'임사체험臨死體驗, Near-Death Experience'이라는 것도 있다. 죽음에 이르렀다가 다시 살아나는 경험을 뜻한다. 최근 자동심장 충격기 보급으로 죽음의 문턱에서 되살아나는 사람이 늘어나 임사체험자가 많아졌다는 이야기도 있다.

임사체험에는 두 가지 설이 있다.

하나는 죽기 직전에 본 뇌의 환영이라는 '뇌내 현상설'이다. 강 저편에 꽃밭이 펼쳐져 있는 듯한 광경 또는 뭐라 형용할 수 없는 밝은 빛이 보이는 등 모든 임사체험에는 공통 요소가 있고, 이런 체험들은 매우 즐겁다는 것이다.

예전에 시청한 다치바나 다카시일본의 대표 지성이자 저널리스트, 2000년 《임사체험》이라는 책을 출간했다의 TV 프로그램에서는 이런 현상에 대해 "최신 연구 결과, 죽을 때 뇌가 공통적으로 꾸는 꿈 같은 것으로 밝혀졌다"고 설명했다. 죽기 직전에 아무리 괴로워 보여도 진통 작용과 쾌감 작용을 하는 뇌내 마약 물질 엔도르핀이 분비되기 때문에 실제로는 괴롭지 않다고 한다.

다른 하나는 내세가 있다는 '사후 세계 실재설'이다. 이 주장이 사실이라면 누군가는 죽음을 오히려 기대할 것이다. 저 세상에 먼저 간 사랑하는 사람을 만날 수 있을 테니 말이다.

이 설을 지지하는 죽음 관련 문헌도 많다. 의사인 야하기 나오키의 저서《죽으면 어떻게 되는가?》에는 이런 내용이 있다.

> 인간의 죽음이란 무엇이냐는 질문을 받으면 나는 "인간은 죽지 않습니다. 영혼이 육체를 빠져나와 저세상으로 옮겨가는 것뿐입니다."라고 대답한다.

또 소걀 린포체는 저서《삶과 죽음을 바라보는 티베트의 지혜》에서 이렇게 말했다.

> 티베트 불교의 중심적 메시지에서도 죽음은 패배도 비극도 아닌, 다음 생으로 변모하기 위한 가장 멋진 기회라 말하고 있습니다.

내 어머니도 임사체험을 하셨다. 지주막하출혈로 쓰러져 목숨만은 건지셨으나, 의식이 돌아오지 않은 채 눈동자만 허공을 떠돌던 때였다. 어떻게든 의식을 되돌리기 위해 세 차례 수술을 했고, 딱 100일 되는 날 정신이 돌아왔다. 그때 어머니는 이런 말씀을 하셨다.

"황천길을 건너려고 했는데 토끼와 여우가 제방 공사를 한다면서 지금은 건널 수 없으니 돌아가라고 했어. 내 장례식을 윗미닫이틀 위에서 봤지."

어쨌든 어머니는 생환했고, 이후 14년이나 즐거운 인생을 보내셨다.

"만나고 싶은 사람이 이승과 저승 중 어느 쪽에 많은가?"

이런 질문을 받는다면, 나는 곧바로 "저승!"이라 답할 것이다. 아버지도 어머니도 조부모도, 일찍 세상을 뜬 친구도 모두 그곳에 있다.

이 세상 사람들은 조금만 기다리면 결국 하나둘 저세상에 온다. 내 친구들도 30년쯤 지나면 대부분 거기서 모일 것이다. 빨리 죽는다는 건 조금 빠른 버스를 타고 그곳에 먼저 가는 것일 뿐이다.

준비할 수 있다면 조금 이른 죽음도 괜찮다

준비할 시간이 있는 죽음은
제대로 받아들이면서 반듯하게 준비할 수 있다.
조금 이른 죽음은
크고 작은 고민들을 단번에 없앤다.

살아가는 게 힘들 때면 사람들은 종종 이런 말을 한다.

"어느 날 갑자기, 덜컥 이 세상을 떠나고 싶다."

그런 죽음을 기원하는 절도 있다. '어느 정도 살았고, 해야 할 일도 다 끝냈고, 죽을 마음가짐과 준비도 됐고, 이제부터 자리보전이나 할 바에야…….'라는 생각일 것이다. 살 만큼 살았으니 슬슬 저세상에 가도 좋다는 경지다.

하지만 갑작스러운 죽음을 바랄 게 아니라, 스스로 죽음을 제대로 준비할 수 있는가를 먼저 생각해봤으면 한다. 1995년 6,400여 명의 목숨을 앗아간 한신 대지진이나 2011년 사망자와 실종자가 2만여 명에 이른 동일본 대지진 때를 떠올려보자. 많은 사람이 죽음을 준비하기는커녕 상상조차 못한 채 괴로워하면서 숨졌고, 유족들은 여전히 그 고통에서 빠져나오지 못하고 있다.

그렇게 보면 내 경우는 얼마나 감사해야 하는가! 죽음을 만족스럽게 준비할 수 있어서 참 다행이다. 이러니저러니 해도 평균수명의 80%는 누린 셈이니 고마울 따름이다. 수명은 길다고 무조건 좋은 것도 아니니 말이다.

100세 이상 살고, 마지막까지 할 일이 있고, 혼자 힘으로 움직이는 데다, 돈도 있고, 증손주들에게 둘러싸여 죽는 그날까지 건강하게…….

이건 누가 봐도 어불성설이다. 나이를 먹을수록 불안과 슬픔과 괴로움은 조금씩 증폭된다.

- ‘머리숱이 줄었네. 대머리가 되는 건 싫은데.’
- ‘이는 평생 가지 않는다던데, 언제 의치로 바꿔야 할까?’
- ‘얼굴이 나이 들어 보여……. 제발 추레하게 늙지는 않았으면…….’
- ‘혼자 살다가 시중 들 사람이 필요해지면 어떡하지?’
- ‘오래 살고 싶어도 생활비와 의료비가 걱정이야.’
- ‘치매에 걸리느니, 그 전에 저세상으로 가는 게…….’

결국 삶의 보람이 없어지고, 우울해지고, 나이 든 이들끼리 서로 돌보다가 또 우울해지고, 치매가 악화되고, 돈도 없어지고, 냉대를 받는……. 이런 상황이 대부분이다. 죽을 때 친구 하나 남아 있지 않은 경우도 생긴다.

살아가는 것 자체가 힘든 일이다. 단지 그 사실 하나만으로도 무척 힘에 부친다. ‘에노켄’이라는 애칭으로 불린 희극왕 에노모토 겐이치는 장남을 잃고 오른쪽 대퇴부 이하를 절단하는 등 개인사에서 연이어 불행을 겪고 실의에 빠져 몇 번이나 자살을 시도했다. 그럼에도 이런 말을 남겼다.

"사는 것이 죽는 것보다 훨씬 괴로울 때가 몇 번이나 있다. 그래도 역시 살아야만 하고, 또 살아 있는 이상 노력해야 한다."

사는 동안 우리가 어쩔 수 없이 늘 품고 있는 크고 작은 고민들은 죽음이 확정되는 순간, 죽음 앞에서 모두 사라진다. 내 근심거리도 죽음이 눈앞에 닥치자 한순간에 사라졌다. 다른 의미로는 노화와 노년의 시간을 면하게 된 것이다. 왠지 너무 부정적인 생각 같아서 책에 쓰기를 망설였지만, 이 또한 죽음으로 향하는 길을 받아들이게 하는 중요한 사고방식일지 모른다.

"인간적으로 말하면 죽음에도 좋은 점이 있다. 나이 듦을 끝낼 수 있으므로."

프랑스 사상가 라 브뤼예르의 명언이다. 젊을 때는 단지 듣고 흘려버렸지만, 이제는 충분히 이해가 된다.

일찍 죽으면 많은 사람이 그 죽음을 애석하게 여기고 고인을 마음에 간직한다. 그러니 남들보다 먼저 세상을 떠나는 건 생각하기에 따라 이롭고도 감사한 일일지 모른다. 오래 사는 것도 근사하지만, 조금 일찍 저세상에 가는 것도 장점이 있다. 죽음의 나쁜 점이 아니라 좋은 점도 생각해볼 만한 이유다.

나는 후회 없이 살다가, 후회 없이 죽음을 맞이하고 싶다. 그렇게 된다면 남들보다 그 시간이 조금 빨리 찾아오더라도 괜찮을 것이다.

죽음은 고통스럽지 않다고 스스로를 타이른다

사람은 예기치 못한 미래가 불안한 것이지
미리 생각해둔 범위 내에서는
어떻게든 허둥대지 않고 처리할 수 있다.
죽음의 공포는 머릿속 시뮬레이션으로 극복하면 된다.

'일찍 죽는 건 어쩔 수 없다. 오히려 나쁘지 않다.'

이렇게 죽음을 긍정하는 데까지는 가까스로 도달했다. 하지만 죽을 때 얼마나 괴로울지, 그 공포에 대해서는 마음이 정리되지 않았다.

일반적으로 임종의 순간이 되면 통증과 호흡 곤란 때문에 고통스럽다고들 한다. 나카무라 진이치의《편안한 죽음을 맞으려면 의사를 멀리하라》띠지에는 이런 글이 적혀 있다.

> 암은 치료하지 않으면 괴롭지 않다. 그런데도 대부분 의사나 가족이 권유해 고문 같은 고통을 맛본 후에야 겨우 숨을 거둔다.

또 오노데라 도키오의《무의미한 암 치료를 받지 않는 64가지 지혜》에는 이런 내용이 있다.

> 환자가 '진정鎭靜, 깨어나지 않도록 약으로 재우는 것'을 강력히 원해도 의사가 해줄지 여부는 확실치 않다. 이는 의료 종사자에게 '환자를 고통스럽게 하면 안 된다'는 의무감이 결여되어 있고, 완화 의료 기술이 미숙하기 때문이다.

많은 사람이 이런 부분에 대한 인식 전환을 갈망하고 있다고 생각한다.

내가 앓는 '간질성 폐렴'은 폐 속 허파꽈리 벽이 망가져서 딱딱해지는 진행성 난치병이다. 치료법도 약도 거의 없다. 점점 숨이 막히고 움직이기 힘들어져 산소봄베압축 산소를 넣어둔 강철 용기에 의지하다가 결국 산소호흡기를 달게 되고, 마침내 침대 붙박이가 된 채 인공호흡기로 숨 쉬는 신세가 된다. 호흡 기능을 상실해 괴로워하면서 죽어가는 병이다. 이 고통을 생각하면 너무 무서워서 죽음을 깨끗이 받아들일 수가 없다. 하지만 두려워해도 해결은 되지 않고, 더욱더 겁만 날 뿐이다.

'어떻게 죽음을 깨끗이 인정할 것인가?'

죽는다는 사실을 줄곧 생각해온 나로서는 이것이 가장 큰 문제다.

'갑자기 숨이 막히는 게 아니라 서서히 그렇게 될 테니 몸도 익숙해질 거야. 산에 올라가면 공기가 희박해지는 것과 비슷해. 괴로워지면 산소봄베도 있으니까 괜찮아. 정말 괴로운 건 죽기 전 일주일. 그때는 의사에게 부탁해서 모르핀을 강하게 맞으면 괜찮을 거야. 게다가 죽기 직전에는 모든 기능이 떨어져 고통도 느껴지지 않을 테니…….'

이렇게 나 자신을 타일렀다. 각오한 미래가 오는 것일 뿐이니 그렇게까지 무서워하지 않아도 된다(라고 강력하게 이미지 트레이닝을 반복하고 있다).

사람은 예기치 못한 미래가 불안한 것이지, 미리 생각해둔 범위 내에서 일어난 일은 어떻게든 허둥대지 않고 처리할 수 있다. '귀신의집'도 뭐가 나올지 몰라서 무서운 것이다. 내부 도면과 귀신들의 등장 순서를 파악해두면 무섭지 않다. 공포 상황을 머릿속으로 미리 시뮬레이션해놓으면 된다.

냉정하게 생각하면 내 죽음은 갑작스럽지 않을 테니 의사와 용의주도하게 사전 협의할 수 있다. 연명 치료를 거부해둘 수 있고, 통증 완화 의료를 다른 치료보다 우선할 수도 있다. 이렇게 차분히 죽음을 준비하면서 구체적인 임종 방법까지 스스로 선택할 수 있다니……. 역시 '행복한 결말'이라고 나 자신을 타일러야 할 것이다.

죽음에 대한 잘못된 인식이 죽음 앞둔 사람을 더 아프게 한다

'죽음'이라는 결말을 '불행'이나 '패배'로
단정 짓는 건 너무나도 난폭하고 잔인하다.
사람들이 필요 이상으로 죽음을 두려워하는 것도
그 때문이다.

죽을 때 각오를 다지지 못하는 사람은 사회적 지위가 높은 경우가 많다고 한다. 이제껏 돈과 인맥으로 원하는 건 무엇이든 해왔는데 죽음은 어찌할 수 없으니, 이런 상황에 분노와 초조함을 느껴 죽음을 납득하지도 받아들이지도 못하는 것이다. 자신의 죽음을 수긍하지 못한 채 마지막까지 온갖 민간요법이나 신앙 등에 매달려 아등바등 저항하면서 죽어간다.

이렇게 인생 최후의 순간에 마음이 편하지 않으면 불행하다. '포기'라는 달관의 경지가 필요한 이유다.

반면 죽을 때 각오를 다질 수 있는 사람은 '인생은 생각대로 되지 않는다'는 사실을 알고 있는 사람이다. 고생한 사람, 가까운 사람을 간호해본 사람이라면 확실히 이해할 것이다. 자기 나름의 생사관을 가진 사람(현대사회에서는 줄어들고 있지만)이라면 더더욱 확실하게 '행복한 죽음'을 맞을 수 있다고 본다.

문제는 지켜보는 가족이나 친구들이 지금까지의 잘못된 상식에 따라 "포기하지 마. 반드시 나을 거야!"라며 끝까지 버티기를 강요하는 경우다. 이런 언행을 다정함으로 착각하는 현실이 유감스럽다. 당사자는 어렵지만 죽음을 받아들이려고 애쓰는 중인데, 그러지 말라고 야단치듯 격려하는 건 정말 달갑지 않다.

"죽지 마! 힘 내!"

이런 절대적 정의 같은 응원은 더 이상 듣고 싶지 않을 때도 많다. 당사자가 "이제 곧 죽을 테니까……."라는 말이라도 꺼내면, "약한 소리하지 마. 병에 지면 안 돼!"라며 어깨를 두

드린다. 건강한 사람이 이럴수록 아픈 사람은 죽음에 대해 말할 수 없게 되고, 홀로 불안감을 부둥켜안은 채 지내다가, 결국 우울증에 걸리기도 한다. 그러니 각자 기회 있을 때마다 죽음을 가까이 여기면서 생사관을 확립하는 것이 무엇보다 중요하다.

누군가 죽었을 때 "불행하게도……."라는 말로 운을 떼거나 "병마를 이기지 못했다."라고 하는 것도 옳지 않다. 죽음을 모두 '불행'이나 '패배'로 간주하는 것이기 때문이다. 이런 인식이 사회 구성원들의 뇌리에 새겨지면 모두가 잘못된 방향으로 가고 만다.

세상에 태어난 모든 사람은 죽기 마련인데, 그 모두가 마지막에는 불행하거나 패배한다는 뜻인가?

'죽음'이라는 결말을 '불행'이나 '패배'로 단정 짓는 건 너무나도 난폭하고 잔인하다. 인간 존엄에 대한 무례이므로 이런 발상이 반복되는 것 또한 매우 비정상적이다. 그 결과 사람들은 죽기 전부터 필요 이상으로 죽음을 두려워하고, 다른 사람이 죽었을 때도 필요 이상으로 깊은 슬픔에 휩싸이는 것이다.

누군가 죽음을 앞두고 있다면 슬퍼하기보다 "고맙다"는 말을 해주는 것이 좋다. 나는 지금까지 행복하게 살아왔고, 앞으로도 행복 속에서 만족하며 떠나고 싶으니 '죽음 = 불행 또는 패배'로 여기는 착각만큼은 바로잡고 싶다.

어떤 종교에 '발고대수拔苦代受'라는 사고방식이 있다. 교주의 아들 두 명이 일찍 죽었는데, 영혼의 세계에 있는 그 두 사람이 '신자의 고통을 제거해 대신 고통받는다'는 가르침이다. 간단히 말하면 '별님이 되어 지켜준다'는 것. 여기서는 죽음을 '불행'이 아니라 '희망'으로 바꿔 본다.

또 다른 종교는 '단명한 사람은 발휘해야 할 능력이 남아 있으므로, 다시 태어날 때는 그만큼 능력이 더해져서 풍부한 재능을 가진 존재로 태어난다'고 가르친다. 여기서도 죽음은 '희망'이다.

죽음을 점점 비극으로 몰아넣을 것인가, 이른 죽음에서도 긍정할 이유를 찾을 것인가. 모두 사고방식의 문제다. 아이 잃은 어머니가 슬픔에서 벗어나지 못한 채 '더 빨리 병원에 데려갔으면 살릴 수 있었을 텐데…….' 하며 평생 후회하고 자책하는 것도 하나의 인생. '죽은 아이가 별이 되어 우리를 지켜줄 거야. 여력을 남기고 갔으니 그만큼의 능력을 더해 갖고 다시 태어나겠지.'라고 생각하는 것 또한 인생이다.

저세상에 간 사람은 가버리고 나면 더 이상 헤매지 않는다. 갈피를 잡지 못하는 건 오히려 남은 사람이다. 누군가의 죽음을 '행복이냐 불행이냐'로 나누는 건 남겨진 사람의 마음에 달렸다.

하지만 사회의 고정관념은 '죽음은 불행', '죽음은 패배'라며 인생의 마지막을 전부 '꺼림칙한 것'으로 삼기를 강요한다. 나는 이에 굴하지 않을 것이다. 이른 죽음이지만 충분히 행복했다 생각하며 기존 상식과 싸우고 싶다.

참고로 죽으면 "삼가 명복을 빈다."라고 하는데 이 말은 이치에 맞다. '명冥'은 '명도冥途', 즉 사람이 죽은 뒤에 간다는 영혼의 세계인 '저세상'을 의미한다. '복福'은 '행복'이다. 결국 '저세상에서도 행복하기를 바란다'는 뜻이다. 이런 사고방식에서는 죽음이 불행이 아니다.

행복했던 인생이 죽음 자체로 인해 결국 불행하게 끝나버린다고 여겨져서는 안 된다.

죽음은 인생의 소중한 결승점이다

죽음을 어두운 존재로 방치한 채 피하기만 하면 안 된다.
떠나는 이는 공포 속에서 죽음을 맞이하게 되고,
보내는 이는 솔직한 마음으로 고별인사할 기회를 잃는다.

나는 죽음을 선고받은 후 사물을 보는 관점이 달라졌고, 금기시된 채 방치되어온 죽음의 괴이한 면면을 차례로 꿰뚫어보게 됐다.

인간은 죽는다는 사실을 인정하고 싶지 않아 한다. 가족 중 누군가가 죽음과 맞닥뜨렸을 때 실은 나머지 식구들이 죽음으로부터 도망치지 않고 죽음과 마주하며 제대로 이야기해주는 것이 죽음을 앞둔 당사자에게도 안심이 될 터. 하지만 당사자도 가족도 그 순간이 오면 좀처럼 그렇게 할 수 없는 것이 현실이다. 죽음에 대한 이야기를 줄곧 피하고 부정해왔으니 막상 각오할 단계에 접어들어도 어찌할 바를 몰라 그만 달아나고 마는 것이다.

죽음을 어두운 존재로 방치한 채 피하기만 하면, 당사자는 공포 속에서 죽음에 이르게 된다. 죽음은 인생의 중요한, 단 한 번뿐인 결승점이다. 좀 더 긍정적으로 적극적으로 생각해야 한다.

죽음이 가까워지면 당사자는 의식이 불분명해지고 뜻하지 않게 가까운 사람들과 관계가 소원해지므로 죽음에 대해 일찌감치 서로 이야기해두는 것이 좋다. 그러지 않으면 안심하고 편안히 떠날 수 없다.

나는 죽음을 좀 더 긍정해야 한다고 생각하게 됐지만, 실제로는 그러기가 상당히 힘든 듯하다.

저세상으로 가는 사람이 마지막까지 의식이 있어서 말을 주고받을 수 있다면 가족은 어떻게 할 것인가. 떠나는 사람이

"고마웠어. 뒷일을, 특히 ○○을 잘 부탁해."라고 하면, "그런 말 하지 말고 힘내서 나아야죠! 괜찮으니까 정신 똑바로 차리고!"라며 말을 가로막을지도 모른다. 그러면 먼저 가는 사람이 전하고 싶은 고마움도 진심도 부탁도 듣지 못한 채 그냥 떠나보내야 할 것이다.

나도 그런 경우가 있었다. 어머니의 남동생인 외삼촌이 위독해져 고별인사를 하러 병실에 갔을 때 이렇게 격려했었다.

"외삼촌, 힘내세요. 다시 건강해져서 가고 싶어 하셨던 야마구치현 하기시에 가요. 휠체어를 타면 되니까 갈 수 있어요. 제가 다시 올 테니 반드시 좋아지셔야 해요."

실은 전부 거짓말이었다. 분명 이번이 마지막 인사라 생각하며 병문안을 갔고, 실제로 나흘 뒤에 외삼촌은 돌아가셨다. 그때 진짜 하고 싶던 말은 이거였다.

"훌륭한 인생을 사셨어요. 모두가 외삼촌을 존경하고 있어요. 저는 외삼촌이 정말 자랑스러워요. 장례식에는 사람이 많이 올 거예요. 저세상으로 가시면 여기 일은 걱정 말고 편히 쉬세요. 먼저 가신 분들과 만나면 엄마에게도 안부 전해주세요. 고마웠어요."

하지만 용기가 없어서 말하지 못했다. 왜였을까. 기억을 되짚어보니 이런 이유들이었다.

- 외삼촌도 나도 죽음 준비 교육을 제대로 받지 않아서 당치도 않은 언동으로 여겨질 것 같았다.
- 병구완하는 가족 앞에서 죽음을 인정하는 듯한 말은 삼가야 한다는 생각이 들었다.
- 주위를 의식하다 보니 지금까지의 상식에서 벗어날 수 없었다.
- 떠나보내는 우리에게 용기도 각오도 부족했다.

하지만 나의 죽음을 눈앞에 둔 지금, 내가 갈 때는 어떻게든 이렇게 거짓으로만 꾸며진 상황을 맞지 않기를 마음 깊이 바란다(거짓말한 주제에 바라기는 좀 그렇지만……). 제대로 솔직한 말을 주고받으며 고별인사를 하고 싶다.

- "훌륭한 인생이었어."라고 칭찬받고 싶다.
- "멋있었어."라는 말을 듣고 싶다.

- "이제 편히 쉬어."라고 위로받고 싶다.
- "먼저 간 ○○에게 안부 전해줘."라는 부탁을 받고 싶다.

이런 식으로 가는 사람도 보내는 사람도 앞을 제대로 바라보며 마지막 시간을 소중히 해야 한다.

현실은 이와 반대인 경우가 많다. 죽는다고 하면 모두 하나같이 놀라고 걱정하고 격려한다. 죽음을 부정하는 말도 꼭 해준다. 정말 고마운 일이다. 그러나 반드시 나을 거라는 근거 없는 자신감만 전면에 내세운 말은 별로 설득력이 없다. 이를테면 이런 말들.

- "앞으로 10년은 거뜬히 살 거예요."
- "걱정 말아요. 곧 특효약이 나올 거예요."
- "의학은 진보하고 있어요."
- "저는 감이 좋은 편인데, 당신은 저승에 가려면 아직 멀었어요."

하긴 눈앞에 있는 사람이 갑자기 "저 죽어요."라고 했을 때

순간적으로 사려 깊은 말을 할 수 있는 사람은 그리 많지 않을 것이다. 죽음을 금기시하는 사회 분위기 때문에 죽음은 인정하면 안 되는 것이라고 평소 생각하고 있을 테니 더욱 그러하다. 어찌 말하면 좋을지 모르는 것이다. 입장을 바꿔보면 나 역시 자신이 없다.

하지만 위로받는 입장이 되고 나서 절대 해서는 안 되는 말도 있다는 사실을 깨달았다. 꽤 많은 사람에게 몇 번이나 들었는데, 그때마다 가슴이 까슬까슬 메말라버리는 듯했다. 바로 이런 말이다.

"사람 일은 알 수 없어. 실제로는 어느 쪽이 먼저 갈지 몰라. 내가 먼저 갈 수도 있고."

물론 말한 사람은 내가 이 말을 받아들이기 힘들다는 사실을 모를 것이다. 오히려 틀림없이 100% 선의로 한 말일 터. 하지만 이런 식의 말은 이른바 '죽음을 얼버무리면서 하는 격려와 위로'에 지나지 않는다.

솔직히 나는 이런 말에 가장 화가 난다. 나는 난치병에 걸렸고, 100% 확률로 몇 년 안에 반드시 죽는다. 말하는 사람은 아직 아프지도 않고, 5년 내에 죽을 확률도 몇천, 몇만 분의 1일

것이다. 이 두 가지 경우를 같은 저울에 올려놓고 "그래도 아직은 어느 쪽이 빠를지 몰라."라고 말하는 건 억지다. 건강한 사람이 아픈 사람의 마음을 헤아리지 못한 또 하나의 결과다.

이처럼 죽음에 대한 견고하고도 잘못된 감각을 무너뜨리지 않으면, 죽음을 준비하는 사람은 좀처럼 마음 편히 있을 수 없다. 떠나는 사람도 보내는 사람도 마지막 작별의 순간에 진짜 하고 싶은 말을 못 하게 된다. 설령 하더라도 이별의 말뜻을 서로 헤아리지 못한다. 그건 모두에게 너무 슬픈 일이다.

당사자조차 죽음을 말할 수 없는 아이러니

죽음을 가까스로 달관했다 생각하는 나도
희미하게나마 기적의 대역전을 꿈꾸기는 한다.
하지만 서슴없이 전면에 내세울 수는 없다.
세상은 죽음에 대해 미담이나 미학을 기대하기 때문이다.

나로서는 죽음이라는 결승점에 도달하는 길을 파악하는 것이 가장 중요하다. 그래서 의식의 대부분이 죽음에 맞춰져 있고, 허물없는 친구 앞에서는 응석도 부리며 아무래도 '죽음'이라는 단어를 자주 말하게 된다. 그런데 어느 날 갑자기 친구에게 이런 말을 들었다.

"비뚤어진 사람처럼 '죽는다'는 말 좀 그만해. 좀 더 사는 쪽을 생각하라고!"

그때 이런 생각이 강하게 들었다.

'세상 사람들에게 "죽는다"는 말을 너무 많이 하면 오해를 받는구나. 혼나는구나.'

죽음은 '금기'이고 '불행'이므로 눈에 띄지 않게 잠자코 있지 않으면 사람들이 꼴불견이라거나 비뚤어졌다고 여기니 내 기분도 안 좋아진다. 그런데 죽음을 앞둔 사람들은 대부분 이런 평가를 받고 싶어 하는 듯하다.

"저 사람은 죽는다는 내색도 없이 끝까지 포기하지 않고 반드시 나을 거라 믿었다. 그래서 죽는 날까지 약한 소리 한번 안 하고 생글생글 웃으며 긍정적으로 살아냈다. 얼마나 훌륭한가!"

세상이 죽음에 대해 이런 미담과 미학을 요구하니, 아픈 사람은 무리해서라도 가까운 사람들에게 살려는 의지를 보여야 한다. 그래서 어떻게든 속마음과는 다른 말로 사람들의 요구에 부응하기도 한다.

- “병에는 절대 지지 않아요. 어떻게든 극복해서 끝까지 살겠다는 마음이 중요하니까요.”
- “얼마 안 있으면 반드시 특효약이 나올 거라 믿어요.”
- “지금 컨디션이 좋아요. 이대로라면 앞으로 10년 이상은 거뜬할 것 같아요.”

실제로는 이런 식으로 생각하면 죽음을 각오하는 마음의 균형이 무너져버린다. 하지만 듣는 사람들은 매우 기뻐할 것이다. 그런 얼굴을 보는 것도 나쁘지 않다. 나도 때론 생각지도 않은 립 서비스를 하곤 한다. 결국 이런 잘못된 상식이 널리 퍼져서 ‘이것이야말로 죽음의 미학’이라는 건강한 사람들의 강요가 세상에 만연하는 것이다.

거듭 얘기하지만 주위 사람들의 반응에 얽매이면 죽음을 분명하게 각오할 수 없다. 나는 죽는 당사자가 되어서야 이런 엇갈림이 존재한다는 사실을 깨달았다.

물론 죽음을 가까스로 달관했다 생각하는 나 역시 ‘특효약이 나와서 내가 처음으로 테스트를 받고 9회 말 기적의 대역전!’을 이뤄내길 희미하게나마 꿈꾸기는 한다. 하지만 이런 소망은 은밀하고 수수하게 바라야지, 서슴없이 전면에 내세워 말하거나 생각할 일은 아니다.

죽기 직전까지 "반드시 낫는다"고 말하는 사람이 없지는 않다. 죽음으로부터 줄곧 도망치다가 곤란해진 사람이, 상황을 판단하지 못하는 사람이, 무엇이든 자기 생각대로 해온 제멋대로인 사람이, 확신에 찬 가족에게 계속 세뇌된 사람이 그렇게 생각하는 듯하다.

일말의 희망에 기대면서도 죽음을 받아들이지 않으면 이 세상을 떠날 각오를 할 수 없다. 그러니 만약 죽음을 눈앞에 둔 사람이 "죽는다"는 말을 하더라도 강하게 부정하거나, "사는 걸 생각해."라고 충고하거나, 세상 일반의 개념을 강요하는 것은 삼가는 것이 바람직하다.

가는 사람 역시 건강한 사람 앞에서 지나치게 죽음을 말하면 약한 소리 한다고 오해받으니, 마음속으로 대화하며 잠자코 죽음을 준비하는 편이 좋을 듯하다.

죽음에 대해서는 우리 사회가 특별한 미담이나 미학을 강요하고 있어 말하기가 매우 어렵다. 하지만 여기에 얽매이지는 말자. 죽음을 분명히 각오하기 위해서라도.

눈을 감는 그 순간은 평온할 것이다

죽음은 그리 무서운 것도,
두려워할 것도 아니다.
필시 잠든 것처럼 평온한 마음으로
맞이할 수 있을 것이다.

예전에 〈NHK 스페셜〉에서 일본을 대표하는 지성이자 저널리스트인 다치바나 다카시의 사색 다큐멘터리 〈임사체험: 죽을 때 마음은 어떻게 되는가〉를 방영해 화제가 됐다. 죽음에 대해 최첨단 연구를 하는 세계 각지 학자들을 다치바나 다카시가 반년 넘게 취재해 만든 프로그램으로, 주제는 '인류가 끝없이 해답을 추구해온 생과 사에 대한 장대한 수수께끼, 그 수수께끼에 도전하는 다치바나 다카시의 사색 여정'이었다. 73분에 걸쳐 어렵고 딱딱한 내용을 소개했는데도 시청률이 11%나 나왔다.

방영 후 다치바나 다카시는 〈분게이슌주文藝春秋〉에 이렇게 썼다.

> 보통 방송 후에 "봤어요."라든가 "재밌었어요."라는 반응을 주로 접하는데, 이번에는 "감사합니다."라는 말을 많이 들었다. 이런 경험은 처음이다.
>
> 이유를 생각해봤다. "죽음은 그리 두려워할 것이 아니다. 필시 잠든 것처럼 마음이 평온한 상태에서 맞이할 수 있을 것이다."라는 마지막 부분에 공감한 사람이 많았기 때문 아닐까.
>
> 나이를 먹을수록 누구나 자신이 어떤 식으로 죽을지 걱정한다. 의료 기술이 발전한 오늘날에는 저세상으로 가기까지 상당한 시간이 걸린다. 인간은 말년이 되면 이제 더 이상 살지 않아도 괜찮다 생각하면서도, 자청해서 최후의 여정에 나설 마음을 먹지도 못한다. 일종의 우유부단 속에서 계속 살아간다. 그 근원에는 최후의

여정 속 미지의 부분에 대한 불안이 있다고 생각한다.

이 정도로 많은 사람에게서 감사 인사를 받았다는 건 미지의 영역에 대한 공포를 프로그램 엔딩 내용이 없애줬음을 의미한다.

나는 다치바나 씨의 이 취재 프로그램을 보고 무릎을 칠 만한 쾌거라고 생각했다. 나 자신이 죽음에 대한 공포가 옅어지는 것을 실감했고, 미지의 영역을 향한 노정을 조용히 짚어보면서 '죽음은 그리 무섭지 않다'고 인식했으며, 이런 생각을 목청 높여 말하는 사람이 더 있어야 한다고 생각했기 때문이다.

다치바나 씨는 그 후 NHK에 다시 출연했다. 〈분게이슌주〉와 〈슈칸분슌週刊文春〉에 '죽을 때 마음은 어떻게 되는가'라는 기사를 차례로 써서 화제가 되기도 했다. 〈슈칸분슌〉 기사에는 이런 내용도 있다.

회복의 기미가 없고 이제 극심한 고통만 기다리는 상황이 되면, 그래서 본인이 원하는 것이 그뿐이라면 안락사는 허용되어야 마땅하다.

저명한 사람이 이런 극단적 주장을 해주면 마음이 매우 편안해진다. '어떻게 해도 괴롭다면 안락사를 선택해도 좋다'는 뜻이니 말이다. 물론 허용하는 외국까지 가서 안락사를 해야 하나, 주저하는 마음도 생기지만 '정말 힘들 때는 비장의 수단을 써도 좋다'는 지지를 받은 듯해서, 그것만으로도 갑자기 든든해졌다.

제4장

이 세상을 떠나기 위한 마지막 준비

여행에서 인연의 끝맺음을 생각한다

살아 있는 동안 추억을 만드는 것도 중요하고,
때때로 추억을 음미하는 것도 중요하다.
그리고 언젠가 마지막에
그 추억과 이별하는 것도 중요하다.

누구나 아름다운 임종을 소망할 것이다.

'내게 남겨진 날들. 마지막으로 멋진 시간을 보내고 싶다. 꺼지기 직전에 더 높이 타오르는 촛불처럼, 그렇게 빛나는 최후의 시간을 갖고 싶다……. 그럼 어떻게 해야 할까? 그래, 순례를 떠나자!'

스스로를 다독여 여행을 떠나기로 했다.

여행지로 고른 곳은 '시코쿠 88개 순례길(일본 진언종 창시자인 고보 다이시(구카이)가 수행한 여정을 따라 시코쿠 전역의 88개 사찰을 순례하는 길)'. 18세에서 19세에 걸쳐 밟았던 그 길이 이후 인생에서 양식이 되고 길잡이가 됐다.

순수했던 10대 시절 추억이 있는 그곳으로 가는 여행은 무려 40년 만이었다. 그때 기억을 더듬어 88개 사찰 중 각 현에서 한 곳씩 고르고 홀로 시코쿠 순례길을 돌았다.

- 도쿠시마현 열네 번째 사찰, 발심 도량 '조라쿠지(常樂寺)'
- 고치현 서른한 번째 사찰, 수행 도량 '지쿠린지(竹林寺)'
- 에히메현 쉰한 번째 사찰, 반야 도량 '이시테지(石手寺)'
- 가가와현 여든네 번째 사찰, 열반 도량 '야시마지(屋島寺)'

어떻게든 몸과 마음을 비워낸 3박4일간의 여행. 40년 만에 시코쿠의 성스러운 장소를 찾으니 이 세상을 떠나기 전에 목욕재계를 한 듯 기분이 맑고 새로웠다.

사람은 살아 있는 동안 추억을 만드는 것도 중요하고, 때때로 추억을 음미하는 것도 중요하다. 그리고 언젠가 마지막에 그 추억과 이별하는 것도 중요하다. 여행은 정신이 기댈 수 있는 기둥이다. 10대의 마지막 순례길에서 새롭게 시작한 인생이 이제 끝나려 하고 있다.

건강할 때는 '좀 더, 좀 더', '아직, 아직'이라는 마음이 있었다. 무엇을 하든 '일생에 한 번뿐'이라는 감각 대신, 불순물 섞인 '거친 욕망'이 있었다. 좋아하는 것을 봐도, 맛있는 것을 먹어도, '긴 인생이니 아직 할 게 더 많을 거야.'라고 생각했다. 그때그때 경험을 차례로 탐욕스럽게 해치우듯 개척해가는 느낌이었다.

하지만 지금은 '마친다', '그만둔다', '끝맺는다'는 마음이다. 지금까지의 인생에 매듭을 짓고 다시 하고 싶은 일, 한 번 더 가고 싶은 곳, 만나고 싶은 사람 등 갖가지 인연을 끝맺어가는 청아한 시간. 이런 식으로 세계관이 달라졌다.

'결연結緣'이라는 불교 용어가 있다. '부처가 중생을 구제하기 위해 손을 내밀어 인연을 맺음', '사람이 불법佛法과 연을 맺는 것', '불법에 귀의함으로써 미래의 성불 또는 득도의 가능성을 얻는 것'이라는 의미다. 그런데 나는 '지금까지의 인연을 완결해서 끝맺는다'는 뜻으로 다가와 마음에 사무쳤다.

- "이제 마지막이야. 고마웠어."
- "이승에서는 안녕이네. 즐거웠어."

이렇게 하나하나 확인하며 뇌리에 각인해가는 느낌으로 바뀐 것이다.

'보이는 경치, 느끼는 정경이 감사의 마음을 정점으로 이끈다. 이 투명한 시간. 실로 마음이 편안하다.'

이런 경지에 다다른 것도 앞으로 살아갈 시간이 정해졌기 때문이다. '삶'이 있을 때는 그다지 감사할 줄 몰랐다. 인생의 종착점이 보이는 지금에야 비로소 모든 것이 감사할 따름이다.

최후의 감동을 오감으로 맛본다

남은 시간이 짧으니 내 지식과 기억을 통틀어
쓸데없는 것은 잘라내고 군살은 도려내어
최고의 것만 추억으로 남긴다.
그리고 그 추억들만 뇌리에 남겨 인생을 마친다.

어른이 되면 여러 가지를 알게 되어 즐겁다. '오늘'의 지식과 기억은 지금까지의 인생에서 최고 정점에 있다. 다양한 지식을 습득했고, 그 지식이 지니는 가치나 가격을 안다. 갖가지 기억을 간직하고 추억을 회상하며 세상사의 옳고 그름을 파악한다. 그러니 '삶을 맛본다'는 의미에서는 아이보다 어른이 훨씬 즐거울 수밖에 없다.

맑은장국을 먹는다고 해보자. 맛이 있는가, 없는가. 이 맛은 어떤 종류인가. 우려낸 국물의 질은 어떤가. 지금까지 먹은 장국 중 몇 번째로 맛있나. 맛이 비슷한 곳은 어디인가. 이런 것들을 지금까지의 지식과 기억으로 식별할 수 있다. 이것이 어른이다.

오랜만에 무화과를 먹었다고 하자. 처음 먹는 아이는 맛없어할지도 모른다. 하지만 어른은 정원 나무에서 땄던 무화과, 할머니가 무화과에 참깨 소스를 묻혀 내어주신 저녁 반찬, 어머니가 만들어주신 무화과 잼 등 여러 추억을 떠올리며 맛있게 먹는다.

이 같은 인생의 정점에서 삶의 남은 시간이 정해지면, 모든 순간에 '끝맺음'이라는 투명성과 숭고함이 더해진다.

- '이 맛을 절대 잊지 않을 거야.'
- '이 경치를 뇌리에 깊이 새기고 싶다.'
- '이 음악에 심취하는 건 이제 마지막이다.'
- '이 사람의 웃는 얼굴을 기억해두자.'

오감을 동원해 마지막 감동을 느끼게 되는 것이다. 끝맺음 해야 한다는 사실 자체가 감사의 마음을 한층 더 높은 곳으로 이끈다.

문득 책의 한 구절이 생각난다. 다와라 마치가 쓴 오래된 밀리언셀러 《샐러드 기념일》 작가 후기다.

> '짧다'는 게 표현 방법으로는 마이너스일까? 그렇게 생각하지 않는다. 자기 안의 불필요하고 너저분한 것을 잘라내고, 표현의 군살을 도려낸다. 그리고 마지막에 남은 무언가를 일정한 형식의 그물로 붙잡는다. 잘라내는 긴장감. 또는 떼어내는 충족감. 이것이 단카短歌, 5구 31음절로 이뤄진 일본 전통 정형시의 매력이라 생각한다.

남은 시간이 짧으니 쓸데없는 것은 더더욱 잘라내고 군살은 도려내어 정리한다. 그런 다음 내 지식과 기억의 형태를 집대성해 최고의 추억으로 삼고, 이것을 뇌리에 남겨 인생을 마친다. 이렇게 하면 죽음을 앞둔 긴장감 속에서도 감사와 충족감을 얻을 수 있다.

그러고 보니 '결연結緣'도 단카와 비슷하다. 마지막 추억은 단카처럼 정돈해 머릿속에 담고 싶다. 실제로 단카를 지을 역량이 부족하다는 건 유감스럽지만, 내 인생의 마지막 시간은 마치 단카를 엮듯 흐르고 있다.

말해야 하나,
하지 말아야 하나…
말해야 한다!

사실 "나 이제 곧 죽어."라고 밝혀서 얻는 건
아무것도 없다. 반드시 말해야 하는 것도 아니다.
하지만 단 한 번의 인생에서 단 한 번인 그 기회를
내 생각대로 살리고 싶었다.

이제 곧 산소봄베를 끌며 걷게 될 것이다. 외출해서 사람들을 만나면 갑작스러운 산소봄베 등장에 대해 설명해야 한다. 하지만 병명과 증상을 일일이 말하는 게 내키지 않는다. 상대 역시 어떻게 반응해야 할지 몰라 곤란할 거다. 그리되면 은퇴해서 아예 사회에 나가지 않는 방법도 있다.

일절 아무 말도 하지 않으면 어떻게 될까?

대부분의 사람은 “대체 어떻게 된 거야?”라고 물어볼 것이다. 몇몇은 물어보기 저어하여 모른 체하고 안 본 것처럼 행동할 수도 있다.

상대가 모르는 척해주면 나도 내색하지 않고 지낼 것인가?

이런 상황 역시 너무나 이상하다. 산소봄베에 의지하기 전에 커밍아웃할 필요가 있다. 대대적으로 말하면 소문은 단번에 퍼질 것이고, 내 병과 산소봄베 생활은 암묵적 이해를 받을 것이다. 그래서 산소봄베가 필요해지기 전에 큰맘 먹고 공개적으로 알리기로 결심했다.

사실 “나 곧 죽어.”라고 밝혀서 얻는 건 아무것도 없다. 더구나 나는 규모가 작기는 해도 사업을 하고 있으니 ‘죽는다’는 이야기가 퍼지면 좋을 리 없다. 병이 옮는다는 식으로 소문이 나서 가게를 찾는 고객의 발길이 뜸해질 수도 있다.

반드시 말해야 하는 것도 아니다. 나 역시 산소봄베에 의지하지 않아도 된다면 말하지 않았을지 모른다. 하지만 인생은 단 한 번, 죽음 또한 단 한 번이다. 단 한 번인 내 죽음에 대해 말할 기회를 생각한 대로 살리고 싶었다.

나는 가와구치 로터리클럽 회원이다. 회원은 정례회에서 강연할 기회가 있는데, 순서상 바로 다음이 내 차례. 지금이 좋은 타이밍인지는 모르겠지만, 강연 형태로 커밍아웃하면 소문은 단번에 퍼질 거라 생각했다.

드디어 결전이랄까, 인생에서의 은퇴 연설이 시작됐다. 강연회장을 메운 80여 명 앞에서 남은 생을 선고받은 몸이라 고하고 죽음에 대처하는 자세 등을 이야기한 뒤 마지막으로 이런 말을 덧붙였다.

"많은 일의 시작은 이유를 알 수 없지만, 어떻게 끝낼 것인가는 스스로 생각해서 결정할 수 있습니다. 마찬가지로 우리가 태어난 이유 역시 찾을 수 없습니다. 대신 인생에서 죽음이라는 끝을 받아들일 만한 이유는 스스로 찾아낼 수 있습니다. '인생의 종착점'이 지니는 의의를 밝게 받아들이면 됩니다. 제 마지막 테마는 '죽음을 적극적으로 밝게 맞이하는 것'입니다. 죽음을 두려워하고 꺼리고 피하는 것이 아니라, 긍정적으로 받아들일 수 있게 궁리하고 계획해가는 것이 중요하다고 생각합니다. 저는, 마지막까지 기운 내어 살고 싶습니다."

강연회장은 찬물을 끼얹은 듯 조용했지만, 내가 밝게 이야기하니 중반부터는 청중들이 웃음을 터트리기도 했다. 대부분 놀라면서도 호의적으로 받아들인 듯했다. 이렇게 나는 단숨에 커밍아웃을 했고, 그 정보는 다들 하고 있는 SNS를 통해 지인들에게 단번에 퍼졌다. 역시 마음에 걸리는 일은 용기 내어 말해두는 게 좋다.

이후 새로운 사실도 알게 됐다. 내가 어떻게 말하느냐에 따라 상대가 어떻게 받아들일지가 정해진다는 것이다. 나을 수 없는 병이라는 사실을 가까운 사람들에게 차례로 이야기했을 때 내가 언제나 밝게 말해서인지 듣는 사람들은 놀라긴 해도 눈물짓는 경우는 한 번도 없었다.

그러고 보면 감정의 주고받음은 '메아리'다. 가는 사람도 남는 사람도 슬프다고 생각하면 모두가 슬퍼진다. 괴롭다고 생각하면 나도 상대도 점점 괴로워진다. 불행하다고 생각하면 모두가 불행해진다. 그럼에도 행복을 찾았다고 말하면 또 모두 행복해진다. 이것이 감정의 메아리다.

• '비관적이지 않게, 낙관적으로 내 죽음을 알리고 싶다.'

- ‘행복한 죽음이고 싶다.’

나는 주위 사람들을 애써 밝게 대하면서 줄곧 이렇게 생각했다. 내가 밝으면 상대도 밝아지고, 그러면 나 자신이 더 밝아질 거라는 믿음으로.

포기하고 능청스러워져야 진정 밝고 강인해진다

이뤄지지 않을 꿈은 버려야 새로운 경지가 열린다.
"죽는 그날까지 포기할 건 포기하면서
즐겁고 밝게 살고 싶다!"
이것이 죽음을 앞둔 내가 배운 것이다.

무슨 일이든 극복하기만 하면 앞으로 나아갈 수 있다. 대신 '스스로를 어떻게 이해시킬 것인가.'라는 것이 문제이자 관건이다. 극복 방법은 두 가지다. 하나는 이루어서 극복하는 것, 다른 하나는 포기해서 극복하는 것.

이제까지는 포기해서 극복하는 것이 금지된 수단이라 생각해왔다. 하지만 죽음을 눈앞에 둔 지금, 반드시 그렇지만은 않다는 사실을 안다. 이런 발상법은 상당히 중요하다. 포기해야 달성할 수 있는 것도 있는 법이다.

신체장애를 가진 사람들의 이야기를 다룬 TV 프로그램을 본 적이 있다. 거기 등장한 소녀는 말했다.

"장애를 갖고 살아서 다행이에요. 건강한 사람은 알 수 없는 경지를 알게 됐고, 만날 수 없는 사람과도 만났으니까."

바로 이런 게 포기해서 극복하는 자세다.

다른 날은 퇴행성 근육병증인 근디스트로피에 걸린 청년이 나오는 TV 프로그램을 봤다. 청년은 몸을 점점 움직일 수 없게 되는 것이 무서웠는데, 전혀 움직일 수 없는 친구들한테 이런 말을 듣고는 생각을 바꿨다고 한다.

"아직 움직이는 게 어디야?"

이때부터 청년은 긍정적 기운을 내기 위해 이렇게 다짐한다고 했다.

"단념하고 넉살 좋게 몸을 가누자!"

나는 이 말에 상당히 큰 충격을 받았고, 동시에 공감했다.

보통은 "포기하지 말고 힘을 내서 병을 이겨내야지!"라고 말할 것이다. "죽는 그날까지 삶을 포기하지 않고 힘낸다."라는 식이다. 그리고 이것을 긍정적 태도라 생각한다. 건강한 사람이 생각하는 '죽음의 미학' 역시 '포기하지 않는 것'이다. 나는 여기에 공감도 찬성도 하지 않는다.

포기해야 열리는 길도 있다. 포기하고 능청스러워져야 진정한 강인함이 나온다. 건강한 사람은 이해하기 어려울 텐데, 말하자면 이런 마음에 가깝다.

"죽는 그날까지 포기할 건 포기하면서 즐겁고 밝게 살고 싶다!"

이뤄지지 않을 꿈은 버려야 새로운 경지가 열린다. 넘어지지 않으면 일어설 수 없듯 포기하지 않으면 바로 설 수 없다. 이것이 바로 죽음을 앞둔 내가 배운 것이다. 삶의 방식이 역전된 셈이다.

임종에 대한 뜻을 남긴다

자신을 위하고, 더 나아가 다른 사람들까지 위하면서
품격 있게 죽음을 맞이하려면 어떤 준비를 해야 할까.
건강하고 총기가 있을 때 내 뜻을 남겨둬야 한다.

'리빙 윌Living Will'이라는 것이 있다. 건강할 때 미리 써두는 의료 관련 유언으로 '생전 의향서' 또는 '존엄한 죽음을 위한 선언서'를 뜻한다. 이 문서를 통해 말기 의료에 대한 의사를 밝혀두면 죽음이 가까워졌을 때 억지로 연명 치료를 하지 않고 존엄사할 권리를 주장할 수도 있는 것이다.

암 환자 3,000여 명을 돌본 의사 오노데라 도키오 씨는 '나라면 어떻게 하고 싶을까?'라는 생각을 기준으로 많은 이의 임종을 지켜봤을 때의 본심을《무의미한 암 치료를 받지 않는 64가지 지혜》라는 저서에 숨김없이 썼다. 그 책을 읽고, 이것이야말로 내가 바라는 가장 이상적인 임종 방법임을 절절히 느꼈기에 깊은 경의를 표하며 여기 옮겨본다.

오노데라 의사의 리빙 윌

기본적으로 저는 괴로움 없이 죽음을 맞이하길 바라며, 하루라도 오래 살기 위한 배려는 받지 않아도 된다고 생각합니다.

- 우선 통증이나 호흡 곤란 등의 고통을 충분히 완화해주세요. 이를 위해 반수면 상태가 되어도 상관없습니다.
- 식욕이 떨어지면, 억지로 먹이거나 마시게 하지 마세요.
- 먹지 못하게 되더라도 링거 수액은 놓지 마세요.
- 심신이 불안정한 상태가 심해지면, 대낮이어도 약으로 반수면 상태에 이르게 해주세요. 이때는 판단력도 없고 의사 표현도 제대로 못하니 깨어나지 않게 약으로 진정시켜줄 것을 강력히 희망합니다.
- 식구들은 바쁘게 일하고 있으니 임종 무렵 가족이 곁에 있어야 한다는 식의 병구완은 하지 않아도 괜찮습니다. 혼자 떠날 각오가 되어 있습니다.

아울러 사망 원인이 암이 아닐 경우에 대한 제 뜻을 덧붙입니다.

- 어디서 생활하는가에 따라 달라지겠지만, 서서히 영양가 적은 식사로 바꿔줬으면 합니다.
- 치매가 심해지면 한밤중에 불안정해지기 쉬우니 수면제를 충분히 처방해줬으면 합니다.
- 의식 없이 돌아다니는 상태가 되면 정신과 의사에게 안정제를 다량 처방받았으면 합니다. 온종일 반수면 상태여도 상관없습니다.
- 불안정한 상태가 지속된다면 자다 깨는 일이 없도록 진정시켜주기를 강력히 희망합니다.

뇌혈관 장애나 심근경색 등으로 돌발 상황이 발생해 구급차에 실려 가면, 고령자도 갖가지 구급 처치를 받는 것이 일반적이다. 그리고 인공호흡기를 달거나, 위 또는 중심 정맥에 꽂은 관을 통해 영양을 공급하기 시작하면 이미 멈출 수 없는 상황이라 봐야 한다.

이런 현실을 잘 아는 의료 현장 종사자는 '나라면 절대 그렇게 안 해.'라고 생각하겠지만, 생전에 의사를 분명히 밝혀두지 않으면 응급 상황에서 과도한 연명 치료가 실시되고 만다. 젊고 건강한 사람은 구급 조치나 소생술이 필수지만, 고령이거나 연명 치료를 바라지 않는 사람에게는 필요치 않다.

따라서 리빙 윌은 건강하고 총기가 있을 때 남겨야 한다. 나이를 먹으면 갑자기 병에 걸릴 확률이 높고 발병 빈도도 늘어난다. 치매라도 걸리면 이미 늦다. 그때는 현재 실시되는 일반적 의료 조치를 밟게 된다. '환자에게 고통을 주지 않는다'는 의식이 약한 나라일수록 완화 의료 기술이 아직 미숙하다.

자신을 위하고, 더 나아가 다른 사람들까지 위하면서 품격 있게 죽음을 맞이하려면 어떤 준비를 해야 할까.

참고로 뇌사 판정을 받으면 연령 제한이 있긴 하지만 장기 이식으로 누군가의 생명을 구할 수 있다. 그중 각막 기증은 연령 제한도 없고 절차도 간단하다. 근시나 노안이라도, 시각 장애가 있어도 각막을 이식할 수 있다. 연구용 시신 기증도 방법 중 하나다.

위인들의 삶에서 살아갈 날의 힌트를 얻다

위인들의 업적을 들여다보면
낙담하면서도 한편으론 새로운 의지가 샘솟는다.
'나'라는 작품을 완성해나가는 방법을
배우게 되기 때문일까.

몸 상태를 잘 살피고 의사와 상담하며 가능한 범위 안에서 여행을 떠나는 것도 남은 날들을 충실히 보내는 방법 중 하나다.

여행지에 갔을 때 '볼만한 다른 것이 없을까?' 해서 찾아보면, 그 지역이 배출한 위인의 기념관이 있다. 건강할 때는 그다지 관심이 없었는데, 인생의 종착점을 향해 가는 지금은 위인들의 생애가 왠지 모르게 마음을 울렸다.

"인간에게는 자신의 인생이 곧, 작품이다."

일본식 역사소설을 완성한 소설가이자 국민 작가 시바 료타로의 말이다. 내 마음에도 이런 생각이 스쳤다.

'죽음은 인생의 끝이 아니다. 인간의 생애는 죽음으로 완성된다.'

위인들은 하루하루 정진하고 노력해서 업적을 달성했을까. 아니면 천재라서 평범하게 살았는데도 그리된 것인가. 뜻을 다 이루지 못하고 떠났다 해도 그들의 업적은 살아남아 사람들에게 감명을 준다. 내가 방문한 위인 기념관들도 하나같이 신선한 감동이 넘쳐흘렀다.

• **나카하라 주야 기념관** 야마구치현 야마구치시

30세에 생을 마감한 나카하라 주야는 깊은 상실감을 평이한 일상어로 표현하면서 보편적 사랑과 행복에 대한 바람을 노래한 시인이다. 모자 쓴 소년의 초상으로 유명한데, 그 모습은 고교 시절부터 동거한 여배우 하세가와 야스코와 18세에 도쿄로 상경했을 때 찍은 사진이다. 입장권 판매소 옆에서 사진 속 모자를 기념품으로 팔고 있었다.

야마구치의 유복한 의사 집안에서 태어난 나카하라 주야는 술과 여자에 빠져 인생을 방탕하게 보냈다. 훗날 모친인 후쿠 씨가 자신의 이야기를 정리한 책《내 위에 내린 눈은: 아들 나카하라 주야를 말하다》에서 "주야는 평생 한 번도 일한 적이 없다. 내가 돈을 대서《산양의 노래》를 출판하게 되어 정말 다행이었다."라고 말할 정도였다.

생의 끝 무렵, 그는 결국 몸이 망가져 귀향을 결심했고 죽기 전에 사행시를 남겼다.

너는 이제 조용한 방으로 돌아가야지.
활기 넘치는 도시의 등불을 뒤로하고
너는 이제 변두리 길을 더듬어 찾아가야지.
그리고 마음의 속삭임을 느긋하게 들어야지.

_나카하라 주야

마음껏 사랑하고, 원 없이 술 마시고, 수없이 상처 입고…….
그러다 생전에는 별다른 평가를 받지 못한 채 떠난 시인. 그의
짧고도 굵은 인생이 내게는 압권으로 다가왔다.

• **이타미 주조 기념관** 에히메현 마쓰야마시

64세에 생을 마감한 영화감독 이타미 주조는 두 번째 작품
〈담뽀뽀〉로 그 이름을 세계에 알렸다.

이곳에서는 이타미 주조가 가장 사랑한 존재인 아내 미야
모토 노부코 씨가 남편 삶의 궤적을 후세에 남기기 위해 노력
해온 흔적이 느껴졌다. 카페에서 이타미가 좋아했던 샴페인
도 마실 수 있는 상당히 세련된 기념관이다.

특이하게도 이 기념관은 이타미 주조의 업적을 열세 가지
카테고리로 나눠 전시하고 있었다. 상업 디자이너, 일러스트
레이터, 배우, 방송인, 수필가, 잡지 편집장 등 흥미를 느끼는
대로 다양한 분야에서 다채로운 능력을 발휘한 어느 천재의
재능 박물관 같았다. 어릴 때 쓰고 그린 글과 그림도 꽤 남아
있었다. 둘러보다 보니 그의 모든 작업은 영화감독이 되기 위
한 길로 이어진 듯했다.

또 하나 인상적인 건 생전에 그가 남긴 말이다.

"죽는다면 편히 죽는다. 병이 괴로우면 낫는다. 둘 중 하나였으면 한다. 고통에 시달리다가 죽는 건 이치에 어긋난다."

_이타미 주조

'그래, 그래! 이 말대로야!'

이 얼마나 인간적인 말인가! 갈채를 보내고 싶을 정도다.

• **데라야마 슈지 기념관** 아오모리현 미사와시

데라야마 슈지는 문학, 영화, 연극, 사진 등 다양한 장르에 걸쳐 활동하다 요절한 일본 아방가르드의 선구자. 47세에 생을 마감했다. 기념관은 미사와역에서 택시로 왕복 7,000엔한화 약 7만 2,000원이나 드는 외진 시골에 있고, 소장품은 어머니 하쓰 씨가 미사와시에 기증한 유품이다.

이곳은 구조가 매우 독특하다. 관내에 놓인 열한 개 책상의 서랍 안에 데라야마 슈지의 위업이 전시되어 있고, 관람객이 서랍 안을 손전등으로 비춰보는 형태다. 책상 하나에 서랍이

네 개씩. 총 마흔네 개 서랍 안에 시, 단카, 하이쿠5·7·5의 17음으로 짓는 일본 고유의 단시, 사진, 영화, 연극, 스포츠 등 다채로운 그의 재능이 조용히 잠들어 있다. 하나씩 들여다보면 데라야마 슈지의 세계관이 보인다.

데라야마는 《테이블 위의 황야》라는 시집을 내기도 했는데, 테이블 혹은 책상은 그에게 상상력을 불러일으키는 특별한 단어였을까. 이렇게 데라야마의 생각을 좇아보는 전시다.

이곳에서 데라야마가 죽기 전에 마지막으로 쓴 에세이 《묘지까지 몇 마일?》을 알게 됐다. 그 에세이의 마지막을 데라야마는 이렇게 매듭지었다.

> 나는 간경화로 죽겠지. 그것만큼은 확실히 알고 있어. 하지만 무덤은 세우지 않길 바라. 내 묘지는 내가 한 말로 충분하니까.
>
> "모든 남자는 생명을 받은 죽음이다. 받은 생명에게 명예를 주는 것. 그것만이 남자에게 숙명이라 할 수 있다." (윌리엄 사로얀)
>
> _〈슈칸요미우리週刊読売〉 1983년 2월 13일 자

이런 곳에 오면 '나는 대체 무엇을 한 걸까? 아무것도 이루

지 못한 채 끝나는 보잘것없는 인생이야…….'라고 낙담하면서도 한편으로는 새로운 의지가 샘솟는다.

'나는 아직 살아 있어. 아직은 무언가 할 수 있어. 그리고 저 세상도 분명 존재해.'

위인의 인생이 작품으로 전시된 기념관에서 '나'라는 작품을 완성해나가는 방법을 배우게 되기 때문일까.

무언가에 의지하는 마음으로 종교를 가지다

종교란 "지팡이 필요해?"라는 물음에
'일단 받아둘까.'라고 생각하는 마음과 닮았다.
필요 없을 것도 같지만, 있어도 괜찮다.

'죽기 전에 원하는 것이 있는가?'

생각해봐도 떠오르지 않았다. 마지막으로 바꾸고 싶은 차도 없고, 몸 상태가 염려되어 해외여행에도 끝을 고했다. 가고 싶은 국내 여행지가 몇 군데 있긴 한데, 가도 그만 안 가도 그만이다. 굳이 꼽자면 낡은 스마트폰을 바꾸고 싶은 정도? 이제 욕망은 별로 없다. 물건은 이미 충분하니, 정신적으로만 좀 더 충족되면 좋겠다.

그러기 위해 필요한 건 우선 '상담할 상대'. 고민되는 문제마다 상담할 친구가 있고 프로인 라이프코치도 있어 안심이지만, 신뢰할 만한 상담 상대가 더 생겨도 좋겠다.

그다음은 '점술'. 허황하다 여길지 몰라도 나는 '점'이라는 길 안내가 좋다. 점술가는 점성술, 타로, 역학, 불교적 가르침 등을 폭넓게 알고 있어서 내게 필요한 충고를 해준다.

그밖에는 무엇이 있을까. 나는 아직 '종교의 틀'이 갖춰지지 않은 상태다. 물론 다니는 절도 있고 그곳 스님도 알지만, 시주를 하거나 백중날 또는 제사 같은 행사가 있을 때 종교적으로 마주하는 정도다. 서로를 잘 알아서 새삼스레 참회하거나 고민을 상담할 수 있는 사이는 아니다.

종교……. 세계 어느 나라에나 있고, 특히 죽기 전에 더욱더 필요한 그것. 내게도 필요할지 모른다…….

업무 관계로 30년 이상 알고 지낸 여성에게 내 병에 대해 고백했을 때다. 그녀는 놀란 듯한 표정으로 이야기를 듣고 나서 이런 말을 꺼냈다.

"고바야시 씨, 재혼하는 게 좋아요. 마지막에 혼자면 외롭잖아요. 그리고 제가 믿는 신흥 종교가 있는데, 함께해보지 않을래요? 분명 무언가가 이끌어줄 거예요."

그녀는 '결혼'과 '종교'를 동시에 이야기했다. 지금까지 이 두 가지에 대해서는 내게 말한 적 없는 사람이다. 결혼은 개인이 알아서 할 문제고, 신흥 종교는 권해봤자 믿지 않을 거라 생각했을 것이다. 하지만 내 고백에 놀라 뭐라도 해주고 싶은 마음에 당황해서 허둥대다가 자기도 모르게 솔직한 마음을 내뱉었고, 그게 결혼과 종교였던 거다.

'재혼은 차치하더라도 신흥 종교라니…….'

이런 생각이 들었지만, 한 번쯤은 그녀의 말을 순순히 들어봐도 나쁘지는 않겠다 싶었다. 요란하게 말하자면 죽기 전에 '귀의'한다고나 할까. 기적이 일어날 리는 없지만 무언가에 의지하고 싶은 마음은 있었다. 신앙이라는 형태, 믿는다는 마음, 손을 모아 기도하는 행위, 이런 것들을 원하느냐고 묻는다면 그럴지도 모른다.

그녀는 곧바로 일정을 조정해 그 신흥 종교 모임에 나를 데려갔다. 나는 성인들이 한자리에 모여 있을 때 풍기는 분위기로 그들이 어떤 사람인지 안다(고 생각한다). 그곳 사람들은 좋은 사람들 같았다. 거리를 걸어 다니는 사람들보다 좋은 냄새가 났다(거리에는 나쁜 사람도 섞여 있으므로). 염려스러웠던 컬트적 분위기는 나지 않았다.

모니터에 비친 교주도 카리스마가 전혀 없는 보통 사람이었다. 수상한 냄새나 일부러 자아내는 인위적 느낌이 없어서 일단 믿음이 갔다. "이 배지가 보이면 오해를 받죠. 그럴 때는 윗옷 안에 답시다."라는 말로 웃음을 유발하기도 했다. 교단도 따돌림을 당하고 상처를 받는 것이다.

신도가 되려면 1,400엔한화 약 1만 5,000원을 내야 했다. 입회비 200엔에 월 회비 200엔씩 6개월분을 합친 금액인데, 놀랄 정도로 저렴했다. 그 후에는 상담할 때 1,000엔, 각종 기도가 500엔이었다.

'이것도 인연이니 일단 가보고, 싫으면 바로 돌아오자.'

이런 생각으로 주저주저 따라갔지만, 소개한 사람도 그곳 분위기도 교주도 비용도, 나로서는 거부할 이유가 되지 않았다. 결국 스스로에게 놀라면서 이 신흥 종교를 믿게 됐다.

그 뒤로 가끔씩 그녀에게 전화가 와서 시간이 맞으면 함께 다니고 있다. 몇천 명이 일제히 입을 맞춰 독경하는 와중에 잠이라도 들면 마음이 편안해지면서 감정적으로 상당히 치유가 된다. 교주의 강론도 불교의 가르침인 '나를 버리고 남을 위한 길을 택하라'는 내용이라 쉽게 뜻을 함께할 수 있었다. 상담 역시 수행을 거듭해온 사람이 해줘서 매우 흥미롭고 재미있다.

내 병은 의학적으로는 아직 고칠 수 없다. 나는 이미 포기했고, 기적은 바라지도 않지만, 종교를 권한 지인은 꽤 진지하게 나를 살리고 싶어 한다. 그녀는 지금까지 교단에서 그런 기적적 체험을 몇 차례나 봤기 때문에 약간 자신도 있는 듯하다. 그녀는 말한다.

"믿는 사람은 구원받아요."

이런 말을 들으면 그럴 것도 같다. 분명 깊은 신앙에 눈뜨게 되지는 않겠지만, 죽을 무렵에는 '기도'라는 행위를 하고 싶어질 거라고 스스로를 분석하고 있다.

장례식 준비는 나답게,
좀 더 정성껏

생애 한 번뿐이므로
마음을 담은 나다운 장례식을 생각해봤다.
내가 세상 떠날 때의 모습을 미리 그려두면
죽음의 순간이 어쩌면 덜 두려울지도 모른다.

죽음은 긍정적으로 생각하거나 적극적으로 밝게 이야기하면 안 된다. 죽음에 대해 무턱대고 말해도 안 된다. 죽음은 언급 자체를 하면 안 된다…….

죽음에 대한 이런 금기 때문에 일본을 비롯한 몇몇 나라에서는 장례식마저 불친절하게 진행되는 듯하다. 예를 들면 빈소에서의 밤샘과 썰렁하기만 한 영결식. 불합리한데도 고치려고 앞장서는 사람 없이 그대로 방치되고 있다.

예전부터 나는 관례적 밤샘과 영결식이 매우 비정상적이라 생각했다. 죽을 몸이 되고 나서 새삼 깨달은 일본 장례 문화의 이상한 점을 써두고 싶다.

- 빈소에서는 제단 앞에 서서 향을 올린 후 손을 씻고 소금을 뿌리고 술을 마시고 식사를 하는, 일종의 컨베이어 시스템 같은 절차를 거친다. 실로 기계적이고 형식적인 과정이다.
- 요즘 조문객들은 대부분 장례식장 밤샘에 동참하는 경향이 있다. 하지만 장례식의 핵심은 어디까지나 그다음 순서인 영결식이다. 영결식에서 조사弔辭를 통해 고인의 인생과 인품을 언급하는데, 조문객 대부분은 향을 올리고 돌아가거나 전날 밤을 새우고 돌아가므로 고인을 잘 아는 친척과 몇몇 지인만 조사를 듣는다. 고인도 이왕 받는 칭찬이라면 많은 사람 앞에서 받고 싶을 텐데, 정작 들어줬으면 하는 조문객들은 듣지 않으니 의미가 없다.

- 참석자가 적은 영결식장 의자는 쓸쓸해서 보기 민망하다. 의자 수를 미리 조정하는 것이 좋겠다.
- 고인이 왜 돌아가셨고 어떤 사람이었는지가 궁금한데, 아무것도 알려주지 않을 때가 많다. 친구 부모님의 장례식처럼 고인과 일면식도 없는 경우, 조문객은 아무것도 모른 채 합장을 하고 명복을 빈다. 장례의 주된 의미는 고인과의 고별인사다. 그러니 장례업자든 유족이든 고인이 어떻게 살았는지를 전하는 노력을 해줬으면 한다.
- 장례식장에서의 밤샘도, 썰렁한 영결식도 분명 고인이 바란 게 아닐 것이다. 유족이 바라지도 않았을 것이다. 그렇다고 의미 있고 개성 있는 장례식을 원하면 경건하지 않다고 여긴다.
- '죽음을 언급하면 안 된다'는 인식 때문에 유족은 준비도 되지 않은 상태에서 장례업자 주체로 일련의 의식을 한꺼번에 치르게 된다. 그러다 보면 어째서인지 처음 견적에는 없던 항목이 추가되고, 제대로 된 가격인지 아닌지 알지 못한 채 장례비를 지불하게 된다. 그러면 끝. '생애 단 한 번인 의식'은 그렇게 후딱 지나간다. 그저 무미건

조할 뿐, 정성 어린 다음 장례식을 위한 개선책은 어디에
도 없다. 반성이나 학습도 하지 않는다.

고인이 어떤 이유로 몇 세에 돌아가셨는지, 살아생전 어떤 공헌을 했는지 정도는 전해야 한다. 이런 정보는 조문객에게 나눠주는 감사장에 넣으면 된다. 세상을 뜬 후 발인까지 대개 사흘이라는 시간이 있으니 영정, 약력, 인품, 죽음에 이른 경위 등을 정리해 인쇄할 여유가 없지는 않다. 죽음을 긍정적으로 대하고 적극적으로 준비하면 발인 전에 조문객 전원에게 나눠줄 수 있는데도 좀처럼 그렇게들 하지 않는다.

나는 부모님이 돌아가셨을 때도, 일손을 거들러 간 친척의 장례 때도 고인의 생애를 알기 쉽게 소개한 감사장을 준비했다.

참고로 내가 원하는 장례식은 이렇다. 생애 한 번뿐이므로 마음을 담은 나다운 장례식을 생각해봤다.

- 계명戒名은 내 생각을 반영하되 다니는 절의 주지 스님과 상의해서 정했다.

- 내가 갑자기 입원해버려서 소지품을 나눌 수 없을 때를 대비해 살아 있는 동안 내 물건들을 나누려고 한다. 유품이 되어버리면 받는 사람도 그다지 기분이 좋지 않으므로.
- 조문객들이 바친 꽃의 비용만큼 커다란 꽃 제단을 만들고 헌화한 사람의 이름을 모아서 한꺼번에 붙이는 요즘 방식은 싫다. 각각의 꽃을 누구에게 받았는지 알고 싶다. 조문객 역시 자신이 낸 생화와 명찰이 함께 있지 않으면 실망한다. 그러니 생화를 받으면 그대로 명찰과 함께 제단에 나란히 놓았으면 한다.
- 영정 사진은 미리 준비해서 지정해두겠다.
- 조문객에 대한 감사장은 내가 써두겠다.
- 조문객 답례품은 장례업자에게 맡기지 않고 내 생각을 담아 준비해두겠다.
- 조문객용 상해보험은 필요 없다. 장례식장을 오가는 길에 다치더라도 치료비를 유족에게 청구할 사람은 없다.
- 영결식에 참석하지 않는 조문객들을 배려해 그들이 장례식장에 있을 때 조사를 낭독하는 방법을 생각해놓겠다.
- 영결식 사회는 장례업자에게 맡기지 않고, 나를 잘 아는

친구에게 부탁하겠다. 업체 측 사회자의 슬픔 가득 찬 설명(고인과 일면식도 없는 장례식장 직원이 슬플 리가 없는데!)이 나는 정말 싫다.

- 먹는 것이 목적이 아니니 조문객을 대접하는 식사는 극히 평범해도 된다.
- 가족이 장례식장에 상주 않길 바란다. 그들도 지친다.
- 관이 나갈 때는 성대한 박수로 배웅해줬으면 한다. 죽음은 불행이 아니므로.
- 화장장은 최상급으로. 마지막 순간에 인색하게 굴면 쓸쓸하니까.
- 화장장에서 돌아와 제를 지낼 때 제단의 꽃은 더 이상 필요 없다.

생각해보니 인상적인 영결식도 있었다. 알고 지내던 재즈 가수 앙리 스가노의 영결식이다. 출관할 무렵 사회자가 말했다.

"앙리는 재즈 가수였습니다. 항상 무대 위에서 박수의 힘으로 살았습니다. 그녀 인생의 막이 내려가는 지금, 여기 계신 모든 분이 힘찬 박수로 배웅하면 어떨까요. 손에 든 가방을 땅에 내려놓으시고 지금까지 쳤던 박수 중에 가장 큰 박수를 부탁드립니다. 고마웠어요, 앙리!"

동시에 영구차의 경적이 울렸고, 참석자들은 영결식이 맞나 싶을 정도로 우렁찬 박수를 보냈다. 박수를 치면서 모두 울었지만, 그건 슬픔의 눈물이 아닌 감사와 만감이 교차하는 눈물이었다. 정말로 멋있었다. 다른 이의 장례식이 멋지다고 생각한 적은 별로 없는데, 이때는 정말 감명 깊었다.

장례식도 그 사람다운 적극적 연출이 있어야 고인이 더더욱 좋은 추억으로 마음에 새겨진다. 장례식이라는 마지막 순간에도 역시 '공세攻勢'가 중요하다.

내 아버지는 살아생전 자신의 장례식 준비 방법을 매뉴얼로 남기셨다. 손으로 쓴 그 매뉴얼에는 남은 우리가 해야 할 작업 항목이 예순여섯 가지나 기록되어 있었다.

우리 가족은 아버지의 유언을 되도록 충실하게 따르며 장례를 치렀다. 자화자찬 같지만, 아버지가 만든 매뉴얼의 마지막 글이 멋져서 소개해본다.

영결식을 훌륭하게 거행해주면 그 마음이 죽은 사람에게 전해진다고 생각합니다.(하지만 정말 그런지는 알 수 없습니다.)

살아 있을 때 영결식을 멋지게 해주면 얼마나 행복할까, 생각합니다.(하지만 살아 있을 때 영결식을 할 수는 없습니다.)

내 나름대로 살아온 지금, 이상의 이유로 내가 죽은 뒤 영결식을 어떻게 치를지 생각해봤습니다. 내 나름의 영결식 모습을 마음에 그리면서 정리했습니다. 가족들이 이대로 해줬으면 합니다.

이제, 내가 구성한 영결식을 꿈꾸면서 저세상으로 가려 합니다.

_1995년 7월 7일 77세 생일에

'영결식을 꿈꾸면서 저세상으로 가자.'

아버지의 이런 긍정과 밝음이 좋다. 유머도 들어 있어서 역시 아버지답다고 생각했다. 나도 닮고 싶다. 내가 세상 떠날 때의 모습을 미리 그려두면 죽음의 순간이 어쩌면 덜 두려울지도 모른다.

영정 사진은
인생 최고의 사진으로

영정 사진은 고인의 인품이 드러나는
최고의 한 장이어야 한다.
나 역시 나 없는 최후의 고별인사 때
최고의 표정으로 조문객들을 맞이하고 싶다.

남의 장례식에 가면, 몇십 년 전 결혼식 단체 사진에서 오려낸 것 같아 보이는 사진을 영정 사진으로 사용하는 경우가 있다. '이런 사진밖에 없었나?'라는 생각이 드는 사진이다. 고인도 유족도, 장례식에 영정 사진이 필요하다는 사실을 알면서 전혀 준비하지 않은 것이다.

죽음이 얽힌 일에는 이런 경우가 정말 많다. 죽음은 꺼림칙하고 싫은 것, 멀리하며 피해야 하는 것, 준비도 하면 안 되는 것. 즉, 불길하다고 생각하기 때문에 방치해놓는 것이다. '이제 때가 되었나?'라고 느껴도 "할머니, 장례식에 쓸 사진 지금 찍어둘까요?"라는 말은 좀처럼 꺼내지 못한다. 죽음이 눈앞에 이르면 그런 말은 더더욱 할 수 없다. 정갈한 모습을 담을 수 있는 때를 그렇게 보내버리고 만다. 개인적으로는 나이가 조금 들어서 원숙미를 풍길 때 영정용 사진을 찍어두는 것이 좋다고 생각한다.

아버지와 어머니의 장례식에서 내가 제일 중요하게 여긴 것도 영정 사진이었다. 나는 부모님이 각자 가장 좋은 나이일 때 "영정용 사진을 찍어요."라며 확실하게 권했고, 어르신을 잘 찍는 사진사에게 부탁해 원숙미 물씬 풍기는 시기에 최고의 사진을 찍어드렸다. 나이 드신 분을 찍는 데 익숙한 사진사가 "딱 좋은 시기네요."라고 말한 것을 기억한다. 아버지도 어머니도 모두 72세 때였다.

조문객은 고인과의 마지막 인사를 하기 위해 장례식에 온다. 그 고별인사는 영정 사진을 보면서 올린다. 장례식 후에도 영정 사진은 제사 등을 지낼 때 후대 사람에게 계속 전해진다. 그렇다면 그 사진은 '고인의 인품이 드러나는 최고의 한 장'이어야 한다. '정말 정갈한 분이었다.'라든가 '늠름한 분이었다.'라는 식으로 생전 모습이 영정과 함께 언제까지나 사람들 마음에 깊이 남기 때문이다.

유감스럽게도 나는 노년의 원숙미를 풍기기도 전에 영정 사진이 필요해졌다. 다행히 내가 강연할 때 찍은 모습이 있어서, 자연스레 이야기하는 컷 중에 나답게 나온 표정을 골라 일단 그 사진을 제1후보로 삼았다. 그보다 더 좋은 사진이 등장하면 바꾸기로 하고. 염려하던 영정 사진 준비는 일단 해결된 셈이다. 나 역시 나 없는 최후의 고별인사 때 최고의 표정으로 조문객들을 맞이하고 싶다.

마지막 입원은 1인실에서

생의 마지막에는 죽음을 앞둔 당사자가
주위를 신경 쓰지 않아야 한다.
주위 사람들도 마음 쓰는 일이 없어야 한다.
그렇게 임종을 준비할 장소가 필요하다.

각종 검사와 약물 투여를 위해 입원을 반복하면서 병원 생활에 대해 느낀 점이 있다. 나는 아직 기운이 있지만, 같은 병실에는 혼자 몸을 가눌 수 없는 사람도 있다. 그런 사람들을 보면서 임종 직전에는 1인용 병실에 있어야겠다고 생각했다. 물론 그만큼 병원비가 들겠지만 일주일 정도면 될 테고, 그 정도

비용이라면 준비해둘 수 있다. 이유는 여러 가지다.

첫째, 병세가 나빠지면 병문안 오는 손님도 늘어난다. 특히 손주들이 오면 환자도 힘을 내고, 손주도 기운을 북돋아주려고 애쓴다. 그러다 보면 목소리가 커져 다른 환자들에게 폐를 끼친다. 마음 놓고 고별인사를 하기에는 1인실이 좋을 것이다.

둘째, 임종이 가까워지면 가족이 병실에 함께 머문다. 주위를 배려해서 되도록 조용히 지내지만, 마지막에는 충분히 이야기하고 싶지 않을까. 말할 수 있는 시기라면 한밤중이라도 무슨 말이든 충분히 실컷 하고 싶을 것이다.

셋째, 임종을 앞둔 사람은 밤낮의 감각도 떨어지고, 기저귀를 교환하거나 간이 변기를 사용할 때 냄새가 나기도 한다. 몸 상태가 갑자기 나빠지기도 하고, 한밤중에 컨디션이 급변하기도 한다. 대형 병원에서는 의사와 간호사가 언제라도 황급히 달려온다. 새로운 기관을 삽입할 때마다 환자는 괴로워한다. 어수선한 분위기가 다른 환자들까지 동요하게 만든다.

아직 같은 병실에서 돌아가신 분은 없지만, 그때의 뒤숭숭함을 상상할 수는 있다. 임종, 그 후의 처리와 협의……. 옆에 그냥 누워 있을 상황이 아닐 것이다. 그리고 내일이면 자신에게도 일어날지 모를 일이니 마음도 괴로울 것이다.

이런 이유들을 생각해서라도 "1인실이라니, 쓸데없이!"라고 여기지 않길 바란다. 생의 마지막에는 죽음을 앞둔 당사자가 주위를 신경 쓰지 않아야 하고, 주위 사람들도 마음 쓰는 일이 없어야 한다고 생각한다.

죽음을 기다리는 시간은 무료하지 않게

임종의 순간까지 누릴 즐거움을 마련해둬야겠다.
내가 골라 만든 미래 계획이 있으면
그날을 오히려 기대하게 될지 모른다.
이로써 죽음의 공포를 또 한 번 뛰어넘는 것이다.

모리 고이치가 쓴《죽음의 순간》은 죽음의 바이블이 된 명저다. 죽어가는 사람들의 임종 사례를 많이 소개하는데, 그중 특히 인상에 남는 에피소드가 있다.

생이 얼마 남지 않은 할머니가 가족이 지켜보는 가운데 말했다.

"마지막으로 위스키를 마시고 싶어."

모두 말렸지만 "내 인생은 내 마음대로지!"라며 버텨서 결국 위스키를 마셨다. 그러고는 다시 말했다.

"담배를 피우고 싶어."

식구들은 할 수 없이 담배를 마련했고, 할머니는 담배 한 대를 피운 뒤 돌아가셨다.

그런데 이 할머니는 원래 술도 담배도 하지 않는 사람이었다. 죽을 때 익살을 부려서 가족에게 특별한 추억을 만들어준 것이다. 왠지 호쾌하고 유쾌해서 정말 좋았다.

이 이야기를 읽고 결심했다. 죽음을 목전에 두고 마지막 입원을 할 때는 거리낌 없이 마지막 담배 한 개비를 피우고 입원하기로. 나는 담배를 끊었고, 실은 여전히 피우고 싶지만, 병세에 악영향을 줄까 봐 참고 있다. 하지만 그때는 이미 '몸에 안 좋으니까.'라는 이유도 의미가 없다. 담배가 맛있지도 않을 거고, 몸이 괴로워 제대로 들이마시지도 못할 거다. 그래도 '임종 때는 참지 않는다.'라고 스스로 정했으니 지금을 견딜 수 있는 것이다. 금욕 생활만으로는 해결되지 않는다. 어떤 부분에서는 스스로를 놓아주는 것이 좋다고 생각한다.

한편 인생의 임무를 전부 완수해내고 시원시원하게 저세상으로 간 사람의 이야기가 쓰인 책도 있었다.

사장이었던 그는 입원 병실에서 매주 경영 회의를 할 정도로 회사 운영에 최선을 다했고, 조직을 견고하게 만든 후에야 완전히 은퇴했다. 그리고 좋아하는 클래식 음악을 들으며 여생을 보내다가 어떤 고민도 주저함도 없이 세상을 떠났다.

병원에서 다른 환자들을 봐도 그렇고, 임종에 대해 이야기하는 책을 읽어봐도 그렇고, 죽음을 기다리는 시간은 적잖이 길어서 무료한 듯하다. 그래서 최후의 기나긴 시간에 무엇을 할지 용의주도하게 준비하고 싶다. 너무 할 일이 없어 지루하면 번민하는 시간이 생겨서 우울해진다. 죽음 준비 교육을 할 때 '인생의 마지막 시간 사용법'을 최우선으로 가르쳐야 하지 않을까. 참고로 나는 최후의 시간을 이렇게 보내기로 했다.

- 여행을 추억할 수 있는 사진은 애용하는 디지털카메라 안에 있다. 그 사진을 온종일 바라보며 지내고 싶다.
- 읽고 싶었지만 아직 읽지 못한 야마오카 소하치의 《도쿠가와 이에야스》 스물여섯 권을 독파할 예정.

- 못 보고 놓친 TV 드라마를 몰아서 보는 것도 좋겠다.
- 죽음에 이르는 마음을 단카로 지어서 '나의 편안한 죽음 100선'을 엮고 싶다.
- 이윽고 그런 체력도 사라지면 줄곧 모차르트 음악을 듣고 싶다. 이를 위해 고급 헤드폰을 사둘 생각이다. 모차르트 선율의 알파파로 치유의 시간을 보내며, 꿈속인지 저세상인지 모를 명상에 잠기고 싶다…….

중요한 것은 사전 준비다. 내가 골라 만든 미래 계획이 있으면 오히려 그 시간을 기대하게 된다. 빈틈없는 준비로 죽음의 공포를 또 한 번 뛰어넘는 것이다.

임종의 순간까지 누릴 나만을 위한 즐거움을 미리 마련해 둬야겠다.

인생의 정상에서 하산하는 길은 헤맬 일 없는 외길이다

병을 발견한 순간이 인생이라는 산의 정상이라면
지금까지의 사고방식을 리셋해 하산, 즉 죽음의 준비를 시작한다.
죽음이라는 결승점까지 유종의 미를 어떻게 거둘 것인가.
그 연출을 생각해야 한다.

"오르고 싶은 산을 정한다. 그것으로 '인생의 반'이 결정된다."

일본에서 자산 1~2위를 다투는 소프트뱅크 회장 손정의의 말이다. 시점이 '살아 있는 시간'에 있어서 그가 더 위대해 보인다. 하지만 이것만으로는 절반의 인생일 뿐. 등산해서 정상에 올라도 여전히 절반이 남는다. 다 내려와야 비로소 온전한 성공이다. 그래서 손정의가 한 말을 내 멋대로 살짝 고치고 다음 말을 덧붙였다.

"오르고 싶은 산을 정한다. 그것으로 '인생 전반'이 결정된다. 하산하는 법을 정한다. 그것으로 '인생 후반'이 결정된다."

인생은 '삶'과 '죽음으로 향하는 시간'과 '죽음', 이 세 가지로 구성된다. 훌륭하게 올랐으면 훌륭하게 내려와 결승선을 끊어야 한다.

하지만 인간은 '어떻게 살 것인가'는 생각해도 '어떻게 죽을 것인가'는 거의 생각하지 않는다. 아니, 죽음 자체를 아예 생각하지 않는다. 그러니 죽음이 눈앞에 닥치면 허둥지둥 동요하고, 삶을 단념하지 못한 채 준비가 부족한 상태로 세상을 떠나고 마는 것이다.

'메멘토 모리Memento Mori'라는 말이 있다. 라틴어로 '죽음을 기억하라'는 의미다. 살아가면서 언제나 죽음을 생각하는 것은 매우 중요하다는 가르침이다. 'Man lives freely only by his readiness to die.'라는 말도 있다. 영어로 '인간은 죽을 각오가 있어야만 자유롭게 살 수 있다'는 뜻이다. 이런 생사관을 항상 유념하면 인생을 더 의미 있게 보낼 수 있을 것이다.

- 내일, 병에 걸렸다는 진단을 받을지도 모른다.
- 내일, 사고사나 돌연사할 수도 있다.
- 내일 이후, 사람은 100% 죽는다.

회복될 가망이 있는 병이든, 죽음이 확정된 병이든, 병이 발견된 순간 우리는 인생이라는 산의 정상에 오르게 된다. 그 지점에 이르면 남은 시간을 계산해 삶의 방식과 태도를 대대적으로 바꾸고 인생길 하산을 시작해야 한다.

그렇다면 죽음이라는 인생의 결승점까지 유종의 미를 어떻게 거둘 것인가. 결승점에 다다랐을 때 어떤 장면을 연출할지 생각하면 된다. 지금까지의 사고방식을 리셋하고 죽음을 준비하는 것이다. 이는 배수의 진을 치는 것과 같아서 과감한 일도 할 수 있다. 사방팔방이 다 막힌 건 아니지만, 나아갈 길이 한 방향뿐이라 헤맬 일도 없다. 명실상부한 '불퇴전不退轉'이다.

스스로 만족스럽게 인생을 갈무리할 수 있도록 집중하는 것이 중요하다.

기업을 경영하는 사람들이 좋아할 만한 말을 늘어놨지만, 듣기에만 그럴싸한 게 아니라 실제로도 그렇다. 구로사와 아키라 감독의 영화 〈살다〉의 주인공처럼 죽음 앞에서 무언가를 발견하고, 인생을 하산하는 길에 자신이 살아온 증거를 남기고 싶다며 분발하는 모습도 멋지다.

노화와 죽음이야말로 진화의 완성이다

죽음은 인생의 종말이 아니라 생애의 완성.
살아 있을 때 자신의 이야기를 만들면,
죽어서도 그 이야기 속에서 계속 살아간다.

"죽음은 인생의 종말이 아니라 생애의 완성이다."

16세기 신학자 마틴 루터의 말이다.

'저세상'이라고 하면 이 세상의 대척점, 황천길 저편에 있다는 식으로 생각하기 쉽다. 하지만 사람의 죽음은 그 생애를 완결한 후에도 여전히 이 세상에, 생의 연장선 위에 존재한다. 그리고 추억으로 모두의 곁에 계속 남는다. 사람은 살아 있을 때 자신의 이야기를 만들고, 죽어서는 그 이야기 속 추억이 되어 계속 사는 것이다.

인간은 막다른 곳에 몰리면 아슬아슬한 쾌감을 느끼면서 활로를 개척한다고 한다. 마라톤에서 한계에 다다랐을 때 러너스 하이Runners High라는 감각이 차올라 고통을 쾌감으로 바꾸는 엔도르핀이 나오는 것이 그 예다. 마찬가지로 수명이 한계에 도달하면, 임종의 순간 뇌내 마약 물질인 엔도르핀이 나와서 그리 괴롭지 않다고 한다.

진행성 난치병에 걸렸다는 진단을 받았을 당시 정신적 한계에 처한 나는 가벼운 공황장애에 빠져 뭔가 희망을 찾으려고 잠재의식을 동원해 힘을 짜냈다. 그리고 어떤 뇌내 마약 물질의 도움이었는지 모르겠지만, 절망뿐이라 생각한 죽음에서 새로운 해석과 희망을 보기 시작했다.

'죽는다는 사실을 잊고 있어도 모두 죽음에'

이런 센류하이쿠와 같은 5·7·5 형식의 단시로, 대개 풍자나 익살을 표현한다가 있다. '삶'과 '죽음을 향해 가는 시간'과 '죽음'으로 구성된 인생. 훌륭하게 올라갔다가 훌륭하게 내려와서 결승점에 도달해야 하는데도 다들 죽음에 대한 의식과 준비를 피하고 있다는 의미일 것이다.

'영원히 산다고 생각하는 얼굴뿐이네'

이 역시 센류다. 인생은 한 번뿐이고, 인간은 태어난 순간부터 진화한다. 진화란 결코 뒤로는 돌아가지 않는 것. 노화와 죽음이야말로 궁극의 진화, 즉 진화의 완성이다.

살아가는 것에 대해서는 의무교육을 비롯해 다양한 교육이 마련되어 있다. 그렇다면 죽는 것에 대해서도 여러 정보를 가르쳐줘야 할 텐데 아무것도 없다. 어떻게 각오하고 죽으면 좋을지 아무도 알려주지 않고, 깨달은 사람은 돌아오지 않는다. 모두 이 첫 경험을 독학으로 해낼 수밖에 없다.

마음을 제대로 진정시키지 않으면 죽기 싫다고 버둥거리다가 아무 생각 없이 죽어가게 된다. 죽고 싶지 않아도 결국 모두 죽는다. 그렇다면 이 인생의 결승점을 기대할 수 있게 바꾸는 편이 좋지 않을까.

가부키 배우 나카무라 간자부로가 세상을 뜨고 49일이 지난 뒤, 지인들 앞으로 '감사 인사'라는 제목의 이메일이 왔다고 한다. 발신자는 간자부로. 죽기 전에 미리 준비해놓은 것이다. 정말 엄청난 장난꾸러기다. 역시 희대의 배우! 스케일이 다르다. 고통스러운 병상에서 이런 생각을 하다니.

나도 인생길을 하산하는 중이니 결승점에서 이 정도 연출을 하고 싶다는 자극을 받았다.

'내 장례식 준비를 비장하게 하자!'

정성 들여 영정 사진을 고르고, 나다운 감사장 내용을 생각하고, 내 나름의 기념품을 마련하는 것이다. 하지만 이 정도는 누구라도 여러모로 궁리해 준비할 수 있을 것 같다.

'좀 더 가슴 뛰게 하는 무언가를 하고 싶다!'

내가 그리는 이상적 모습은 정말 좋아하는 아티스트가 준 꽃을 제단에 놓는 것. 이 얼마나 기쁜 일일까! 조문객들은 '엄청난 사람과 아는 사이였어!'라며 놀랄 것이다. 상상만 해도 가슴이 두근댄다. 어서 연출을 찾아야겠다. 인생이라는 산을 등정하고 내려온 기념으로 결승점에서 스스로에게 걸어줄 꽃다발을 준비하다니! 이 정도는 해야 '생애의 완결'이 흥미로워진다.

이렇게 모두가 깜짝 놀랄 만한 것을 부지런히 생각해내어 마지막 장면을 만족스럽게 연출하고자 한다. 그리고 마지막까지 인생에 감사하며 삶을 적극적으로 즐길 생각이다. 이것이 생의 끝을 향해 당당히 걸어가는 사람의 마음이자, 힘 있게 살고 후회 없이 떠나는 인생의 기본이다.

죽음을 제대로 준비할 수 있다는 건 대단한 행운이다

죽음을 받아들이는 방법은 십인십색, 백양백태, 천차만별이다. 이 책은 어디까지나 내가 생각하는 '죽음을 각오하는 법'이다. 병의 유무나 증상 등에 따라 각자 다를 거라 생각한다.

이제와 내 인생을 돌아보니, 일탈이 이어진 파란만장한 인생 치고는 크게 과오를 범하지 않고 무탈하게 보낸 것 같다. 이 사실에 감사한다.

삶의 남은 시간을 선고받고 죽음을 제대로 준비할 수 있었던 건 대단한 행운이었다. 오래 살지 못하는 것도, 어찌 보면 그리워해줄 사람이 많다는 의미이니 나쁘지는 않다. "죽기엔 너무 이르다"는 애도 속에서 떠나면, 죽는 당사자로서 외롭지는 않을 것이다. 사람들이 소중한 존재로 여긴다는 뜻이니 꽤 눈부신 결말이다. 나이가 들어 할 일이 없어지고, 우울해지고, 노환으로 자리보전을 하고, 치매에 걸리고, 아는 사람은 모두 죽어 슬퍼해줄 이도 없으면 쓸쓸할 테니.

시인 사무엘 울만은 말했다.

"청춘이란 인생의 어느 한 시기가 아니라 마음가짐이다."

그러니 이제부터 내 마음도 '저세상을 향한 청춘'이라 해야겠다.

사람은 태어났기에 반드시 죽는다. 중요한 것은 살았다는 증거를 남기고, 삶과 죽음을 감사하고 수긍하며 씩씩하게 저세상으로 가서 다음에 태어날 세상을 꿈꾸는 것이다.

나의 삶도, 나의 죽음도 '수세[守勢]'가 아닌 '공세[攻勢]', 즉 '도전'이면 좋겠다. 수명이란 각자가 쓸 수 있는 시간의 전부이니, 내게 주어진 시간을 마지막까지 즐기면서 알뜰하게 다 쓰고 싶다. 그리고 내가 이 세상을 떠난 후 남은 가족과 친구들이 슬퍼하기보다 "고마워."라고 말해주면 행복하겠다.

죽음을 바로 앞에 둔 당사자가 생과 사에 대해 빠듯하게 생각한 이 책을 읽고 죽음을 조금이라도 두려워하지 않게 된다면 더없이 기쁘고, 그만큼 보람을 느낄 것이다. 더불어 모두가 '인생을 의미 있게 적극적으로 완성하는 힘'을 갖기를 소망한다.

누구에게나 인생은 단 한 번, 죽을 기회도 단 한 번이다. 힘 있게 살다가 후회 없이 떠나자.

목숨이 다할 때까지 긍정적으로 밝게!

치료법도 특효약도 없는 '간질성 폐렴'이라는 진행성 난치병에 걸렸다는 사실을 의사에게 통보받은 때가 2014년 7월 18일. 당시만 해도 2년 반이 지나면 저세상으로 간다고 각오했는데, 아직 할 일이 남았는지 올여름, 죽음을 선고받은 지 어느덧 3년이 됐습니다.

다만 몸은 점점 쇠약해져 정상적 호흡이 힘들어졌고, 결국 작년 6월부터 호흡기를 사용하며 생활합니다. 양쪽 콧구멍에 얇은 튜브를 꽂아 넣고 휴대용 산소봄베로 산소를 공급받고 있어요.

외출할 때는 전용 캐리어에 휴대용 산소봄베를 세 개쯤 넣고 끌면서 이동합니다. 개당 한 시간 반에서 두 시간이면 산소가 바닥나기 때문에 배출량을 조절하는 게 중요하지요. 세 개를 한꺼번에 가지고 다니면 상당히 무겁습니다. 체력이 소진되고 있는 몸으로는 정말 버거운 일입니다.

하지만 죽음을 선고받고 죽음의 공포와 맞서 싸운 뒤 '저세상으로 가는 힘'을 체득한 저는 삶의 결승선에 이르는 길을 그저 후회 없이, 오로지 힘껏 걸어갈 뿐입니다.

일본에서는 이 책을 출간한 덕분에 강연을 많이 의뢰받았습니다. 지금도 힘을 내어 전국 각지에서 강연회를 열고 있습니다. 오사카 마이니치홀에서 청중 500명과 이야기를 나누기도 했고, 도쿄 조치대학교에서 강연하기도 했습니다. 지방 마을회관 강연까지 합치면 지금까지 50여 회에 이릅니다.

강연 제목은 예외 없이 '저세상으로 가는 힘'. 전하는 내용은 이 책에 쓴 것과 같습니다. 죽음에는 준비가 필요하다는 것. 죽음을 외면한 채 살아가면 안 된다는 것. 죽음을 철저히 준비하고 각오하면 편하고 즐겁게 이 세상을 떠날 수 있다는 것입니다. 이 내용들을 전달하는 일이 제 마지막 사명이라 여기고 있습니다.

어째서인지 모르겠지만 죽음을 응시하고 있는 제 이야기를 들은 많은 분이 "기운 난다"고 말합니다. '목숨이 다할 때까지 긍정적으로 밝게!'라는 제 마음이 전달됐기 때문일까요. 한국 독자 여러분도 그런 힘을 느끼시길 바랍니다.

2017년 7월
한국어판 출간에 즈음하여
고바야시 구니오

옮긴이의 말

누구에게나 언젠가 찾아올 죽음을 준비하는 자세

〈엔딩 노트〉라는 영화가 있다. 정년퇴직 후 제2의 삶을 준비하던 주인공이 건강검진에서 말기 암 판정을 받고 죽음을 맞이하는 과정을 찍은 다큐멘터리 영화다. 〈바닷마을 다이어리〉, 〈그렇게 아버지가 된다〉의 고레에다 히로카즈 감독이 제작했는데, 죽음을 다룬 영화임에도 보는 내내 객석이 웃음과 눈물로 뒤섞였던 기억이 아직도 생생하다.

영화의 주인공은 예고 없이 닥친 죽음과 직면해서도 실의에 잠기거나 허무주의로 빠지지 않는다. 오히려 자신만의 '엔딩 노트'를 만들어 남은 시간 동안 해야 할 일을 꼼꼼히 준비한다. '한 번도 찍어보지 않은 야당에 투표하기', '아내에게 처음으로 사랑한다 말해보기' 등 소소하고 유머러스한 프로젝트를 계획하고 실행하면서 편안하고 즐겁게 죽음을 맞이한다.

시종일관 죽음을 담담히 받아들이는 주인공과 그 과정을 유쾌하고 담백하게 영상으로 기록한 딸, 밝은 표정으로 죽음을 맞이하는 나머지 가족을 보며 죽음에 대한 새로운 시각을 갖게 됐다. 하지만 죽음이 당장 내 눈앞에 닥친 일이 아닌지라 더 깊이 생각해보지 못했고, 주위에 추천하기도 뭐한 기분이 들어 홀로 그 여운만 간직했다.

그리고 몇 년이 흘러 번역 도서를 검토하다가 이 책을 만났다. 죽음을 다룬 책이어서 어둡고 무거운 내용이 아닐까 싶었는데, 읽을수록 〈엔딩 노트〉가 생각났다. 게다가 죽음을 선고받은 당사자의 감정과 생각이 고스란히 기록되어 영화보다 더 생생했다.

저자는 짧은 여생을 선고받았을 때 느낀 충격과 방황, 그 후 우여곡절 끝에 찾아낸 죽음에 이르는 길과 죽음을 받아들이는 자세를 감정 과잉 없이 간결하게 그렸다. 책을 읽고 나니 죽음에 대한 고정관념이 180도 바뀌는 듯했다. 이렇게 밝고 적극적으로 죽음을 이야기하는 책이 하나쯤은 있어야 하지 않나, 라는 생각도 들었다.

죽음은 누구에게나 찾아오는 필연적 종착점인데도 말하면 안 되는 금기 사항으로 여겨진다. 저자는 이런 사회 분위기를 꼬집는다. 죽음을 '단 한 번의 인생에서 맞이하는 단 한 번의 기회'라고까지 표현하며, 아무런 준비 없이 맞이해서 허둥대다가 황망하게 생을 마무리하는 지금의 세태를 안타까워한다. 보통 죽음을 준비한다고 하면 묘지를 알아보고 유언을 작성해두는 것을 떠올리지만, 이 책을 읽다 보면 그런 물리적인 준비보다 죽음에 대한 마음의 준비에 초점을 맞추게 된다.

저자는 죽음이 선고되는 순간을 인생의 정상이라 보고, 그 후 어떻게 하산할지 찬찬히 짚어낸다. 물론 저자 역시 세상 많은 이들처럼 죽음을 막연히 부정적으로 생각해왔다. 하지만 죽음이 눈앞에 닥치자 방황 끝에 두려움에서 벗어나 죽음의 좋은 면을 깨달아간다. 죽음에 대한 공포를 없애는 과정을 리드미컬한 문장으로 경쾌하고도 솔직하게 이야기한다.

읽어가면서 '나도 여생이 얼마 남지 않았다는 선고를 받는다면 이렇게 할 수 있을까?'라는 생각이 들었다. 특히 죽음에 대한 준비 사항을 이야기하는 제4장은 '웰다잉well-dying'을 위한 실질적 교본이 될 만하다. 삶이 얼마 남지 않은 사람에게 무턱대고 "힘내라!" 하면 당사자가 어떤 기분일지, 죽음을 앞둔 가족과는 어떻게 이별해야 할지 돌아보는 기회도 됐다.

저자는 '죽음에 대한 공포'를 '죽음을 향한 각오'로 바꾼 끝에 새로운 출발점에 섰다. 죽음과 당당하게 마주하며 남은 인생을 적극적으로 의욕적으로 보내기로 결심했다. 이 책을 출간하고는 강연회를 열며 죽음에 대한 사회 인식을 바꾸기 위해 왕성하게 활동하고 있다.

번역을 끝내고 저자의 근황을 알아봤을 때 강연 일정이 검색에 잡히지 않아 걱정했는데, 저자가 여생을 선고받은 지 정확히 3년 되는 날 한국 독자들에게 전하는 글을 받았다. 산소 봄베에 의지하면서도 여전히 의욕적으로 강연하고 있다는 소식을 읽고 눈시울이 뜨거워졌다.

생명이 남은 날까지 저세상으로 향하는 길에서 죽음을 적극적으로 긍정적으로 이야기하는 저자의 뜻대로, 이 책이 죽음에 대한 독자들의 인식을 바꾸는 계기가 되면 좋겠다.

2017년 한여름에

옮긴이 강수연

단 한 번의 인생, 단 한 번의 죽음
힘 있게 살고 후회 없이 떠난다

초판 1쇄 인쇄 2017년 9월 5일
초판 1쇄 발행 2017년 9월 20일

지은이 고바야시 구니오 | **옮긴이** 강수연 | **펴낸이** 김종길 | **펴낸곳** 글담출판사
책임편집 임경단 | **편집** 박성연, 이은지, 이경숙, 김진희, 임경단, 김보라, 안아람
디자인 정현주, 박경은, 이유진, 손지원 | **마케팅** 박용철, 임우열 | **홍보** 윤수연 | **관리** 김유리

출판등록 1998년 12월 30일 제2013-000314호
주소 (04043) 서울시 마포구 양화로12길 8-6(서교동) 대륭빌딩 4층
전화 (02)998-7030 | **팩스** (02)998-7924
블로그 blog.naver.com/geuldam4u
페이스북 www.facebook.com/geuldam4u
인스타그램 www.instagram.com/geuldam

ISBN 979-11-87147-19-0 (03830)
책값은 뒤표지에 있습니다.
잘못된 책은 교환해드립니다.

이 도서의 국립중앙도서관 출판시도서목록(CIP)은 e-CIP 홈페이지(www.nl.go.kr/ecip)와 국가자료공동목록시스템(www.nl.go.kr/kolisnet)에서 이용 가능합니다.
(CIP 제어번호 : 2017021257)

글담출판사에서는 참신한 발상과 따뜻한 시선을 담은 원고를 기다립니다.
여러분의 소중한 경험과 지식을 나눠주세요. 원고는 이메일로 보내주시면 됩니다.
이메일 geuldam4u@naver.com